K A Z U N A R I　U C H I D A

仮説思考

THE BCG WAY
THE ART OF
HYPOTHESIS-DRIVEN
MANAGEMENT

BCG流 問題発見・解決の発想法

内田和成

東洋経済新報社

しかし、幹の仕事、つまりコンサルタントとしてのもっとも大事な仕事である問題解決の全体像が描けないでいた。手当たり次第に情報収集を行ない、人一倍に分析作業を行なうものの、有益な分析結果が少ない、ゆえにさらなる情報収集・分析が必要になるという悪循環に陥っていた。問題の本質に到達するのに、膨大な時間を必要とした。ときには、問題の本質に到達する前に時間切れになったことさえあった。

この悪循環から筆者を救ってくれたのは、先輩コンサルタントから学んだ仮説思考であった。仮説とは、情報収集の途中や分析作業以前にもつ「仮の答え」のことである。そして、仮説思考とは情報が少ない段階から、常に問題の全体像や結論を考える思考スタイル、あるいは習慣ともいうべきものである。読者の方には耳慣れない言葉かもしれないが、BCGの社内はもちろん、コンサルタントの世界ではごく当たり前に「仮説」という言葉が使われている。ディスカッションをする際には、「きみの仮説は何だ?」「私の仮説は……です」というやり取りが飛び交っている。

仮説思考を実践すると、不思議なことに、仕事がスムーズに進むようになり、同時に仕事の正確性も増した。情報を闇雲に集めると、仕事を遅くすることはあっても、正確性が増すことは少ないと気づいた。情報洪水に埋もれてしまっていたのである。

経験があるビジネスパーソンだから、あるいは訓練されたコンサルタントだからこういうやり方ができるのであって、自分には無理と考える読者もいるだろう。しかし、筆者にいわせるなら、経験を積まないと、あるいは、コンサルタントとしての経験がないと、早い段階で結論を考える力（仮説思考力）がつかないと思っているうちは、いつまでも進歩しない。仮説思考は実践していくことで身についていくものである。

最初は立てた仮説が的外れなものになることも多いはずだ。しかし、人間というものはおもしろいもので、失敗するとそこから学べる。なぜ失敗したか、うまくいかなかったかを考え、次はあそこを変えてみよう、今度は別のやり方を取り入れてみようと試行錯誤しながら、進歩していくのである。失敗を積み重ねながら、仮説思考は進化していく。

本書が、ビジネス経験がまだ少なく、仕事の進め方が遅い、判断ができないと思っている方々、あるいは、ビジネスの経験はそれなりに積んでいるのにいつまでも先を見通せず、思い切った意思決定ができずに、リーダーとして力不足と悩んでいる方々の一助となれば幸いである。

二〇〇六年三月

内田　和成

目次

仮説思考

The BCG Way——The Art of Hypothesis-driven Management

The BCG Way——The Art of Hypothesis-driven Management

序章
仮説思考とは何か

第1章 まず、仮説ありき

The BCG Way —— The Art of Hypothesis-driven Management

第2章 仮説を使う

The BCG Way——The Art of Hypothesis-driven Management

第3章 仮説を立てる

第4章 仮説を検証する

The BCG Way —— The Art of Hypothesis-driven Management

第5章 仮説思考力を高める

The BCG Way——The Art of Hypothesis-driven Management

終章

本書のまとめ

装丁◆竹内雄二
本文DTP・図表作成◆マッドハウス

序章

仮説思考とは何か

The BCG Way——The Art of Hypothesis-driven Management

情報が多ければ正しい意思決定ができる？

ビジネスパーソンは日々、問題解決を迫られている。「収益を向上させるにはどうしたらよいか？」、「研究開発の生産性を高めるにはどうしたらよいか？」、「グローバルで勝ち残るにはどうしたらよいか？」、「社内を活性化するにはどうしたらよいか？」など、企業には多くの経営課題がある。

多くのビジネスパーソンは、情報は多ければ多いほど、よい意思決定、間違いのない意思決定ができると信じている。そうであるがゆえに、できるだけ多くの情報を集めてから物事の本質を見極め、さらに、そこで明らかになった問題に答えを出すために、また必要な情報を集める、という作業を繰り返す。

これはある意味で、コンピューターが将棋を指す場合のやり方に似ている。その時点で考えられるすべての打ち手を読み尽くし、最も優れた手を打とうという考え方である。コンピューターのようにありとあらゆる手を検討し尽くすのが得意な機械でさえ、将棋では人間の名人には勝てない。名人の経験に裏打ちされた直感やひらめきにはかなわないのである。すべての手を読み尽くそうとしても、現在のコンピューターの計算処理能力では手が進むたびに展開を読み直していると、いずれ持ち時間を使い切り、読み切れなくなって、名人の直感やひらめきに屈してしまう。ビジネスにおいても、人間がコンピューターと同じような戦い方、すなわちすべてを調べ尽くすという仕事の進め方をしてもうまくいくわけがない。

早い段階で仮説をもてばうまくいく

実際に何が起こるかといえば、情報収集しているうちにどんどん時間が過ぎていき、結局、肝心の意思決定は「エイヤーッ」でやらざるを得なくなったり、いざ物事を決める段階になって、必要なデータがそろっていないことに気づいたりする。要するに、あらゆる情報を網羅的に調べてから答えを出していくには、時間的にも資源的にも無理があるということである。

実は仕事ができる人は、人より答えを出すのが早いのである。

まだ十分な材料が集まっていない段階、あるいは分析が進んでいない段階で、自分なりの答えをもつ。こうした仮の答えを、われわれは仮説と呼ぶのだが、その仮説をもつ段階が早ければ早いほど、仕事はスムーズに進む。もう少しくわしくいえば、仕事の速い人は限られた情報をベースに、人より早くかつ正確に問題点を発見でき、かつ解決策につなげることのできる思考法を身につけているのである。

一方で、仕事が遅い人の特徴は、とにかくたくさんの情報を集めたがることだ。どちらがニワトリでどちらが卵かわからないが、情報がたくさんないと、どうにも意思決定できないのである。

現時点で「最も答えに近い」と思われる答え

さて本書でとり上げていく「仮説」という言葉――われわれコンサルタントの間では日常的に飛びかっている言葉だが、一般的にはあまりなじみがないかもしれない。学生時代の実験や卒業論文以来という人も多いのではなかろうか。

仮説とは読んで字のごとく「仮の説」であり、われわれコンサルタントの世界では、「まだ証明はしていないが、最も答えに近いと思われる答え」である。

答えといっても、それが問題の場合もあれば、解決策の場合もある。というのも、ビジネスの世界は学校の勉強とは違って、前もって、課題は「これである」とはっきりしていることはまれであり、まずは問題から見つけださなければならないケースが多い。この課題設定を間違えると、いかに立派な答えを出してみても、本質的な課題解決にはつながらない。

このような話をしていると身構えてしまう人もいるかもしれないが、実はそうでもない。仮説というと「なじみ薄」と感じる人でも、普段の生活ではけっこう仮説を使って暮らしているることが多いのだ。たとえば、「雨が降った日には、みんな外に出かけるのがいやだから、レストランもすいているはずだ」という読みを立て、家族でレストランに出かけることがあるだろう。そして、実際に出かけてみてレストランがすいていれば、自分の仮説は当たっていたことになり、次からも「雨の日にはレストランがすいている」という前提で行動することになる。一方、行ってみたら案に相違してレストランが混んでいたということもあるかもしれない。この場合は、自分が立てた「雨の日にはレストランはすいている」という仮説は間違いで、みんなが同じように考えるので逆に「雨の日にはレストランは混んでいる」のかもしれないし、あるいは「天候とレストランの混み具合は関係ない」のかもしれない。これが仮説思考である。

仮説思考を身につけるために

仮説を使う思考方法（以下、仮説思考）は、ビジネスパーソンにとって最も大切な能力のひとつだ。仮説思考を身につけることによって、迅速かつ正確に課題の本質を解明し、解決策を導きだすことができるようになる。

本書では以下の四点についてできるかぎり具体的に述べたい。

- 仮説思考を身につけることによって、どんなメリットがあるのか？
- どうしたら仮説を構築することができるのか？
- 立てた仮説を検証し、進化させていくにはどうしたらいいのか？
- 仮説思考力を高めていくには日常どんなことをしたらいいのか？

何も実行しないことが大きなリスクになる今日、いつまでも選択肢を拡げる情報収集を続け、意思決定のタイミングを遅らせるわけにはいかない。網羅的に情報を収集するのではなく、限られた情報をもとに、仮説思考によって最適な意思決定をすべきなのだ。少ない情報で答えを出してしまうというと、一見常識への挑戦にも見えるが、この思考法こそが、実はビジネスを成功させる上での王道というべきものである。

第1章

まず、仮説ありき

The BCG Way——The Art of Hypothesis-driven Management

1 なぜ仮説思考が必要なのか

問題解決のスピードが格段に速くなる

仮説思考とは、物事を答えから考えることだ。ベストな解を最短で探す方法ともいえる。

仕事をしていると、毎日さまざまな問題に直面する。それらの問題を解決しようとするとき、考えられるあらゆる原因、そして、それぞれの原因に応じた解決方法を網羅的に調査するのは事実上難しい。

問題を解決すべき時間が限られている場合に、そのような仕事の仕方をすると、結果を出せないまま時間切れになってしまう。したがって、あらかじめ答えを絞り込むこと、つまり仮説を立てることが重要になる。

仕事の進め方で大事なことは答えから発想することだ。課題を分析して答えを出すのではなく、まず答えを出し、それを分析して証明するのである。

よく、経営コンサルタントは仕事が速いといわれるし、実際に速い。ただ、それはコンサルタントが先天的に頭脳明晰だからというわけではない。特別に脳の回転が速いというわけでもない。

コンサルタントとして鍛えられていく中で、後天的に仮説思考の方法を身につけるために、問題解決のスピードが格段に速くなる。コンサルタントは、「自分の仮説をもて」ということを厳しく叩き込まれる。また常に「あなたの仮説は何か」と問われ続ける。それは経験的に、仮説を構築した上で具体的な作業を進めるほうが、スピーディーで、かつ質の高い答えに到達できる方法だということがわかっているからだ。具体的には仮説を立てることで、やるべきことがクリアになり、論点を深く考えることができる。つまり、コンサルタントは、仕事の進め方を知っているから、仕事が速いのだといえる。

「はじめに」にも書いたように、実は私自身、経験的にそれを実感している。新人コンサルタント時代、私は「枝葉の男」と評されていた。細かい分析は得意だし、ちょっとしたアイデアをすぐ思いつく。一方で、肝心の問題全体がどんな構造になっていて、どの課題が最も重要であり、そこから手をつけて解決を図るべきだというような大きな話、すなわち幹の話がつくれないでいた。幹がなくて、枝葉ばかりというわけだ。思いつくかぎりの課題をすべて並べて順番に力任せに検証したり、問題をあらゆる角度から分析しようとし、関連する情報を網羅的に収集したりしていたために、問題の本質を見極めるのに膨大な時間を必要とした。費やした時間の割に成果が出せない。いや、問題の本質に到達する前に時間切れになったことさえある。これではいけない。仕事のやり方を変える必要があると痛感した。そして先輩コンサルタントたちから学んで、仮説思考の方法を身につけるにしたがい、答えをスムーズに導きだすことができるようになっていった。

問題解決はコンサルタントの独壇場ではない。ビジネスパーソンは日々、問題解決を迫られている。そのとき、あらゆるケースをすべて調べまくってから答えを出すのは時間的にも資源的にも無理だ。仮説思考は、すべてのビジネスパーソンにとって重要なスキルといえる。限られた時間、少ない情報でベストな解を探すことができれば、ビジネスでの成功確率は確実に高まるはずだ。

見ただけで答えがわかってしまう

コンサルタントが経験を積むと、仮説思考力が高まり、短期間で答えが出せるようになるという例を紹介しよう。

営業不振で悩んでいる企業の経営者から、売上げが不振なので助けてほしいと依頼を受けたとする。この場合、営業不振の理由として考えられることは山ほどある。たとえば、製品に力がなく競争相手に負けていたり、消費者の支持を失っている場合、あるいは、品質に問題があって取引先や消費者から避けられている場合、価格が高いために競争に負けている場合、広告宣伝に問題がある場合、営業体制に課題がある場合……。これらのほかに、経営者自身が問題を引き起こしているケースもあれば、業界全体が構造不況に陥っている場合もある。

コンサルタントも経験が少ないうちは、あらゆる可能性をすべて調べてどれが本当の原因かをはっきりさせないと気持ち悪さが残る。しかし、コンサルティングの経験を積んでいくと、こうした問題も、経営者に一度話を聞いて、現場を一度見れば、かなりの確率で何が問題かがはっきりする。実際にコンサルティングを始める前に答えがわかるのである。

たとえばわれわれは、その業界がいま成長産業なのか、成熟化しているのか、あるいはグローバルでどんな潮流があるのかといったことはあらかじめ頭に入っているので、不振が業界全体の動きからきているかどうかは、新たに調べる必要はない。一方で、その他の問題は、どれが真因かは企業個別の理由なので、通常はじっくり調べないとわからないはずである。ところが、何度も企業のコンサルティングを続けていくうちに、ちょっとした現象や特徴から、何が問題かは見当がつくことが多い。

たとえば、現場に行ってみて、社員に元気があり、商品もきちんと在庫されていて、品切れがないのにもかかわらず、ものが売れない場合は、商品の競争力に問題があるケースが多い。競争相手にやられているのである。一方で、商品には一見問題がなさそうなのにものが売れていないときには、流通チャネル政策に失敗しているケースが多い。たとえば、価格政策を間違えたり、物流体制に問題があったりする。これも経営者に少し話を聞いて、現場に行ってみると、おおよそ見当がつく。もちろん経営者や本社の幹部と話をして、リーダーシップやマネジメント体制が問題だと気づくこともある。カルロス・ゴーンが来る前の日産に行ってみれば、そう感じたに違いない。

現場からの刺激と経験を組み合わせる

ただし、どれもがそれが唯一の原因かどうかはわからないはずだ。しかし、これも、長年やっていると勘が働いて見当がついてしまう。もちろん、それはまったくの当てずっぽうではない。頭の中に引き出しがいろいろあって、経営者とやりとりをしたり、現場を見ることでその引き出しが刺激される。これまでの経験といま見聞きしていることが組み合わされて、答えが出てくるわけだ。単なる経験だけでもなければ、ただの思いつきでもない。その両方が組み合わさって答えが出てくるといえばよいかもしれない。もちろん全部が正解なわけではなく、間違うことも多い。そうした成功も失敗もすべて蓄積されることで、勘がさらによく働くようになるのである。これが仮説思考の積み重ねの成果だといえる。

2 先見力と決断力を支える

先行き不透明な中で必要とされるもの

ビジネスパーソンにとって大切な能力は、先見性、決断力、実行力の三つである。とりわけ経営者は、先行き不透明な経営環境の中で、ある程度の「読み」をもって、日々、意思決定し、実行していかなくてはならない。先行き不透明で自社の将来を見通すのが難しいからといって、結果がわかるまで意思決定を延ばしておくわけにはいかない。そんなことをすれば、競争に後れをとったり、社員が会社の先行きに不安をもってしまう。となると、いまわかっている情報で先を読む力、すなわち先見性というものがまずリーダーの資質として重要となる。

先が読めたとしても、ものを決めるというのは勇気のいることであり、リスクを伴う。

とりわけ先行きが不透明であればあるほど不安になるのも無理はない。それでも、最後は自分ひとりで意思決定すなわち決断するのがリーダーの二つめの要件である。

いくらリーダーが意思決定しても、組織が動かなければ企業は変わらないし、前に進まない。したがって、組織を動かす力、すなわち実行力が重要となる。

今日と同じような、先が読めない混迷の時代に要求されるリーダーシップ論を説いたプロイセン（現在のドイツ）の将軍カルル・フォン・クラウゼヴィッツも、同様のことをいっている。彼は、プロイセンがナポレオンとの戦いに敗れた原因や、ナポレオンの没落などを分析することで、戦争に勝つための方策、あるいは政治的目的を達成する手段としての戦争などについて研究し、その成果は、彼の死後、一八三二年に *Vom Kriege*（邦訳は『戦争論』。清水多吉訳の中公文庫 BIBLIOS 版と日本クラウゼヴィッツ学会訳の芙蓉書房出版のものが、それぞれ出版されている）として出版された。『戦争論』は西洋の軍隊参謀の必読文献であった。

この中でクラウゼヴィッツは、不確実な環境下で組織を導くリーダーに必要なものとして、こんなことをいっている。

「精神が予想外の事態を乗り越えてこの不断の戦いに勝つためには、二つの特性を必要とする。ひとつは、暗黒においても内なる光を灯し続け、真実を追究する知性であり、もうひとつは、そのかすかな光が照らすところに進もうとする勇気である」

（ティーハ・フォン・ギーツィー、ボルコ・フォン・アーティンガー、クリストファー・バスフォード編著『クラウゼヴィッツの戦略思考――『戦争論』に学ぶリーダーシップと決断の本質』ボストンコンサルティンググループ訳、ダイヤモンド社）

この二つの特性をいい換えれば、先見性、決断力、実行力ということになるだろう。そして、先見性、決断力、実行力の三つの能力のうち、先見性と決断力の二つは、仮説思考と密接な関係がある。すなわち不透明な霧の中でもわかり得ることは見通しておくクセをつけ、意思決定していくことが必要なのだ。

オフト・マジックは仮説思考から生まれた

先見性に優れたリーダーとして思いだすのは、一九九三年に行なわれたサッカー・ワールドカップ・アメリカ大会アジア予選で、監督として日本代表チームを率いたハンス・オフトだ。彼の采配は「オフト・マジック」と呼ばれた。というのも、ゲーム開始前に、その日のゲーム展開や結果について選手や記者団に語り、それが的中することがたびたびあったからだ。
この「オフト・マジック」の秘密について、彼は『日本サッカーの挑戦』（講談社）という著書の中で言及している。一九九二年に開催されたダイナスティカップの対中国戦。このゲームは日本代表にとってアウェー（敵地）の北京で行なわれた。このときオフトは選手にこんな指示をしたという。

「試合が始まると中国が一気に攻めてくる。劣勢に立たされるが、この時間帯は耐え抜いて守れ。そのうちに中国の攻撃が緩むだろう。そこで前半三〇分すぎから逆襲に転じ、得点し、前半は一対〇で終わる。後半になると、再び中国が巻き返しを図る。だから後半も最初の一五分くらいは耐える時間帯になる。その時間帯をしのぎ、後半終了間際にもう一点とり、結果として二対〇で勝つ」

オフトの読みの正しさは、数時間後、その場にいたすべての人が知ることになる。周囲はオフトの予測能力の高さに舌を巻いたが、オフトは、予測ではなく科学だといっている。

実はオフトは事前に中国戦を偵察し、中国選手の特性を見極めていた。中国選手は身体能力に優れ、勢いづくと止めるのは容易ではない。しかし、相手が攻撃に耐えていると、気が緩んでくる。そうした特性から判断し、この試合は二対〇で勝つという仮説を立てたのである。

天才棋士・羽生は一瞬で打ち手を絞り込む

プロ棋士、羽生善治は稀代の天才棋士であることはいうにおよばないが、仮にビジネスの世界に進んでいたとしても、かなりの確率で成功を収めたに違いない。

なぜ、そんなことをいうかといえば、それは羽生が仮説思考の達人だからである。

羽生の棋風はオールラウンドで幅広い戦法を使いこなし、終盤に繰りだす妙手は「羽生マジック」と呼ばれる。奇しくもオフトと同様、「マジック」の使い手ということになるが、こちらも妙手の秘密について著書『決断力』（角川書店）で言及している。

羽生は将棋で大事なのは決断力だという。すなわち意思決定だ。決断にはリスクを伴うが、それでも「あとはなるようになれ」という気持ちで指すのだという。そのときの意思決定を支えているのが仮説思考である。

将棋には、ひとつの局面に八〇通りくらいの指し手の可能性があるが、その八〇をひとつひとつ、つぶさに検証するのではなく、まず大部分を捨ててしまう。八〇のうちの七七、七八については、これまでの経験から、考える必要がないと瞬時に判断し、そして、「これがよさそうだ」と思える二、三手に候補手を絞る。

これはまさに仮説思考だ。八〇のうちから、よさそうな三つの答えを出す。そして、その三つについて頭の中に描いた将棋盤で駒を動かして、検証する。網羅的にすべての手を検証してから意思決定しているのではなく、大胆な仮説を立て、「これがよいのではないか」と指しているのだ。

羽生は「直感の七割は正しい」ともいっている。直感は、それまでの対局の経験の積み重ねから、「こういうケースの場合はこう対応したほうがいい」という無意識の流れに沿って浮かび上がってくるものだと思う、と羽生はいう。こんなこともいっている。

「判断のための情報が増えるほど正しい決断ができるようになるかというと、必ずしもそうはいかない。私はそこに将棋のおもしろさのひとつがあると思っているが、経験によって考える材料が増えると、逆に、迷ったり、心配したり、怖いという気持ちが働き、思考の迷路にはまってしまう。将棋にかぎらず、考える力というのはそういうものだろう」

将棋の対局の経験をビジネスの経験に置き換えても同じことがいえる。ビジネスにおいても、問題の原因と解決策について、あらゆる可能性を考えるよりも最初に焦点を絞って仮説を立てることが大事というのは、これまで述べてきたとおりであり、それは、経験に裏打ちされた直感力、勘によるものだ。

3 情報は集めるよりも捨てるのが大事

情報が多すぎると意思決定は遅くなる

ビジネスパーソンが仮説思考を身につけ、使いこなせるようになると、日常の仕事を行なう上で、大きく三つのメリットがある。

ひとつ目は、情報洪水に溺れなくなること。二つ目は、問題解決に役立つこと。そして三つ目は、大局観をもって仕事ができることだ。いずれもそれによって、仕事の効率が高まり、質の向上にもつながる。二つ目の問題解決に仮説をどう使うかについては、第2章で詳述するとして、ここでは、情報洪水に溺れなくなること、大局観をもって仕事ができることについて解説したい。

まずは、情報洪水からの回避について、考えてみたい。

仕事で大切なのは意思決定だ。社長でも部長でも、組織のリーダーでも担当者でも、必ず意思決定をしなくてはならない。では意思決定には何が必要か。そう尋ねると多くの人が「情報」と答える。

しかし、それは錯覚だ。たしかにある程度の情報は必要なのだが、情報が多ければ多いほど、よい意思決定ができるというのは、間違った思い込みである。

情報理論の世界では、不確実性が高いことを「エントロピーが大きい」と表現する。すなわち新しい情報が加わって不確実性が低くなれば、エントロピーは小さくなる。

たとえば、得意先の接待に和食とフランス料理のどちらがふさわしいか悩んでいたとする。このときに、「先方の社長はフランス料理が好きだ」とか、「先方は翌日に和食の予定が入っていて、和食にすると二日続きになってしまう」といった情報が手に入ったとしよう。こうした情報があれば和食とフランス料理という二つの選択肢のうちのひとつを消すことができるので、意思決定が簡単になる。エントロピーが明らかに小さくなる例である。

ところが誰かに相談したところ、「いまどき寿司や天ぷらははやらない。私の知っているイタリア料理の店を紹介しよう」などといわれたら、エントロピーは大きくなり、意思決定は、より困難になる。

つまり意思決定をするときには、いますでにある選択肢を狭めてくれる情報だけが役立つのだ。企業の意思決定でも同じだ。たとえば、新製品のマーケティング戦略で、テレビ、新聞、雑誌などの広告媒体から、さまざまな観点で最適なものを絞り込み、「新聞広告と雑誌広告のいずれにすべきか」で悩んでいるとしよう。このときに、「やっぱりテレビコマーシャルはどうか」といった意見は、戦略を再度ゼロから見直すことになり、戦略実行上の遅れや迷いをもたらす。すなわちエントロピーが増大する。余談ではあるが、世の中にはこうした思いつきの意見をいって仕事のやり直しを命じる上司が多く、部下が苦労している。

それに対して、「この商品のターゲットユーザーである二〇代男性は、新聞はほとんど読まないが、自分の好きなことは雑誌を買ってまで熱心に勉強する」という意見は、新聞広告という選択肢を消しやすくする。すなわち、エントロピーが下がって確実性が増すという意味で、大変有益な情報である。

情報コレクターではアクションにつながらない

企業が意思決定する場合に、闇雲に情報を収集するのは、明らかな間違いだ。

企業が活動すると非常にたくさんの情報が集まる。たとえば自社に関する情報だけでも、損益計算書、貸借対照表（バランスシート）、支店別の業績表、月別の売上推移や原価計算表など、さまざまなものがある。あるいは、競争相手の業績や市場シェアについての情報もあるし、業界団体が出している情報誌、あるいは学術論文から得られる情報もある。さらに顧客や消費者にインタビューして得られる情報も山ほどある。

しかしその情報を、定量情報であればエクセルに入力し、定性情報であればワードで入力し、分厚い報告書をつくったとしても、報告書をつくる手間だけでも大変だし、結局は実際のアクションにつながらない、意味のない報告書になることが多い。それどころか、意思決定を遅らせる元凶にもなり得る。

一般に企業は、できるだけたくさんの情報を集めてから、意思決定しようとする傾向が強い。経営陣から社員まで大半が情報コレクターになっている。残念なことに、こうした企業の多くが意思決定に時間がかかりすぎて、必要な施策の実行が手遅れになる。あるいは、新たな情報を求めて選択肢が増えてしまったり、知らなかった新事実が出てきたりして、ぐずぐずしたまま意思決定できないケースが多い。

迅速な意思決定のためには、いまある選択肢をいかに絞り込むかという視点で情報収集すべきなのだ。意思決定に使える時間には限りがあり、完璧な答えが出るまで意思決定を先送りしたくても、相手は待ってはくれない。となると、いかに限られた情報をもとに最適な意思決定をするかがカギとなる。

何も実行しないことが大きなリスクになる今日、いつまでも選択肢を拡げる情報収集を続けて意思決定のタイミングを遅らせるわけにはいかない。網羅的に情報を収集するのではなく、限られた情報をもとに、仮説思考によって最適な意思決定をすべきなのだ。

網羅思考は非効率

しかし、実際のところ、考え得るさまざまな局面から調査・分析を行ない、その結果をベースに結論を組み立てる人が多い。これを網羅思考と呼ぶ。この場合、最初の段階ではストーリーの全体像は見えない。これが仮説思考との大きな違いだ。

まず、すでにわかっている情報から問題の一部分についての結論をつくり、それをベースにさらに新しい情報や分析を追加しながら新たな結論を導きだし、ストーリーを増やしていく。それを繰り返すうちにストーリーの全体像が見え、最後にようやくひとつのストーリーが完成し、問題の解決策が導きだされる。

積み上げ型の思考なので、途中で一回でも結論を間違えた場合には、それをベースにした次のストーリーも間違えることになる。だからなるべく多くの証拠や情報を集め、できるだけ確実な結論をそのつど導きだした上で、ストーリーを進めていかねばならない。

情報をできるだけ集め、数多くの分析を行なわなくてはならないので、時間が無限にかかるという欠点がある。たとえば三カ月とか六カ月という限られた期間内に課題を発見し、解決策を策定していく場合には、網羅思考では非常に効率が悪く、間に合わないこともある。さらにプロジェクトを行なう場合でも、終盤になってようやく全体像が見えてくるので、ここが重点領域だから深く掘り下げようと思っても時間切れになったり、あるいは間違いに気がついたときには手遅れになっていたりする危険性も高い。

意外に思うかもしれないが、頭のよい人が多い企業、たとえば伝統的大企業ほど網羅思考の傾向が強い。結果として理屈先行で、意思決定に時間がかかったり、人の提案にはまず批判やあら探しから入る傾向がある。もちろん本人は悪気があるわけではなく、完璧を期しているつもりなので、余計たちが悪い。コンサルタントをやっていてだめな企業だなと感じるのは、この手の企業だ。

実行案志向のアプローチで前に進もう

網羅思考型の企業でよく見られる傾向として次のような現象がある。

たとえば、メーカーが業績不振を立て直すために事業戦略を構築したとする。この場合、最初にすべての課題をリストアップしようとする。その中には問題の根幹をなしそうな大きな問題から、仮に解決したところで大勢に影響がないような小さな問題までが、ごちゃごちゃになって、てんこ盛りにされる。製品開発に関わる問題、特許件数、競争相手の製品とのスペック（性能）比較、生産コストの問題、在庫の過不足の問題、製品の品質、広告宣伝の中身、流通への販売促進費、営業担当の数、同じく質、ＩＴ投資の額と効果、さらには組織の問題までリストアップして考えようとする。

次に出てきた課題に順番をつけたがる。それぞれの要因がどれだけ業績不振に悪影響をおよぼしているのか、あるいはどの要素とどの要素がどういう関係にあるのかをはっきりさせたがる。おまけにどこまでも細かく課題を分解し、深掘りしていかないと気がすまない。

これらを全部調べているうちに期限が過ぎてしまう。しかもビジネスだから、すべての要素が数学のようにきちんと説明がつく関係にはなっていない。

もちろん解決策についても、すべての課題について、それぞれいくつもの改善策を提案することになり、結局一〇以上の課題について、合計で三〇くらいの打ち手が提案されることになる。もちろん実行するのは容易ではないし、ひとつひとつの課題解決に十分な時間と資源が使われず、成果も上がらない。

これぞまさに網羅思考の弊害だ。このような方法ではなく、解決策につながるいくつかの課題＝仮説にフォーカスして、それを検証することにエネルギーを使ったほうが効率がよい。もちろん解決策を提示できない課題もいくつかあるだろうが、それでも企業の業績は早期によくなる。すべての課題を整理してから手を打とうとすると、半年や一年は優にかかってしまい、そうこうしているうちに環境が変わって、また違う課題が発生してしまう。つまり、いつまでたっても業績不振を解決することができない。

ゴルフのスウィングを矯正する場合を思い浮かべてほしい。すべての部位、たとえば頭、肩、腰、グリップ、手の動き、体重移動、膝の曲げ方、スウィングの軌道などをすべて同時に直せといわれたら、結局まったくうまくいかないだろう。労多くして報われないパターンだ。それよりも、まず一カ所だけ直し、それがうまくいくようになってから次のポイントを直していったほうが早く上達する。

企業も同じで、同時にあれこれ手をつけるよりも、ここだけは直さなくてはという一点に集中して、そこを手直ししていったほうがうまくいくものである。

要するに網羅思考とは、すべてを理解しないと前に進めない人たちがとりがちなやり方だ。現実にすべてを究め尽くすことが困難であるとすれば、ここまでやったのだからこれ以上はわからなくても仕方がない、時間切れだから仕方がないと、自分のために言い訳を探し求める人たちの思考方法といえるかもしれない。

いうまでもなく、ビジネスに客観的な答えなどない。もしあるとすれば、何をやっても、ありとあらゆる経営資源を備えたGEやトヨタやマイクロソフトのような企業が成功するということになってしまう。すべては相対的であり、自社が何をするかによって、相手の動きも変わる。となれば、数学のような答えを求めるよりは、自社がこう動くと取引先や消費者はどう動き、それに対して競争相手がどう反応するかということを読み解くことにカギがある。そうであれば、自分がこう動くという実行案志向、すなわち答えの仮説から入るアプローチを取るべきであろう。そして、それに対して相手がどう動くのかを読む。頭の中で、仮説の検証を行なうのである。

4 大きなストーリーが描けるようになる

実験する前に論文を書く

先日、『日本経済新聞』の「私の履歴書」を読んでいたら、大変興味深いコメントが載っていた。免疫学の世界で国際的に有名な石坂公成先生（ラホイヤ・アレルギー免疫研究所名誉所長）が、アメリカのカリフォルニア工科大学化学部研究員だったころ、恩師であるダン・キャンベル先生から「実験する前に論文を書け」といわれ驚いたそうだ。その話が石坂先生の回想として『生命誌ジャーナル』（三五号）にくわしく載っている。

「ある時などは、私が次にこういう実験がしたいといったら、実験を始める前に論文を書けという。御冗談でしょうといったら、ランドシュタイナー（抗原の構造と特異性の関係を系統的に解明した学者で、ノーベル賞受賞者）はいつもそうしていた、今のお前にはそれができるはずだというのです。仕方がないので、先生の言葉にしたがって、予測のもとに論文を書いてから実験をしましたが、これは大変なアドバイスだったと思います。書いてから実験をすると、結論を出すために必要な対照は完璧に取れることになりますから、期待どおりの結果が出なかった時でも、その実験は無駄にならない。その当時は、抗原抗体結合物の仕事もポピュラーになり、大きなグループがわれわれを追いかけてきていましたから、失敗などはしていられない状況でした。要するに、キャンベル先生は、仕事が軌道に乗った時、競争に勝つ方法を教えてくれたのです。

そのような指導を受けて、抗原抗体結合物はモルモットにアレルギー性皮膚反応を起こすが、一分子の抗体に抗原が結合したものは活性がなく、二分子の抗体が同一の抗原に結合して初めて活性が現れることを明らかにすることができました。しかも、活性が出るか出ないかは抗原の化学的性質とは無関係で、抗体の性質（種類）で決まることもわかりました。明快な方法を教えてもらったので、はっきりした結果が出せたのだと思います」（生命誌35号　Scientist Library「免疫とアレルギーのしくみを探る～常識に合わない現象には未知の真実がある～」石坂公成）

免疫学だけでなくあらゆる学問の研究では、まずは数多くの実験を試み、その結果を上下左右さまざまな方向から分析し、論文をまとめていく。これが一般的なやり方だ。

しかし、実はこれが、普通の人が陥りがちな罠《わな》でもある。一般的には、分析した結果をベースに結論を組み立てることが多いが、これでは答えもストーリーの全体像もなかなか見えてこない。

ランドシュタイナーや石坂公成は、頭の中に、「きっとAという答えが出るはずだ」という仮説をはじめにもち、全体のストーリーを描いた上で、その仮説が正しいかどうかを実験で検証するという方法で研究論文を書いていた。一般的なアプローチとはまったく反対である。

私はこの話を知ったとき、仮説思考は分野を越えて活用することができるのだと実感した。

わずかな情報から全体像を考える

仮説思考を使えば、手元にあるわずかな情報だけで、最初にストーリーの全体構成をつくることができる。証拠が不十分でも、「真の問題はここにあり、その答えはこういうことだ」と全体的なストーリーを考えることができる。

具体的には、まずストーリー構成を考える。たとえば、「現状分析をするとこういう分析結果が得られるだろう。その中でもこの問題の真の原因はこれで、その結果としていくつかの戦略が考えられるが、最も効果的なのはこの戦略だ」ということを、十分な分析や証拠のない段階でつくり上げる。

つまり、問題に対する解決策や戦略まで踏み込んで、全体のストーリーをつくってしまう。そうすると、ごく一部の証拠は揃っているけれども、大半は証拠がない状態になり、そこから証拠集めを開始することになる。その場合には、自分がつくったストーリー、つまり仮説を検証するために必要な証拠だけを集めればいいので、無駄な分析や情報収集の必要がなくなり、非常に効率がよくなる。

こういうと、「いろいろな可能性が考えられる段階で、大胆にひとつのストーリーをつくり上げたりしたら、重大なことを見逃し、間違ったストーリーをつくってしまうのではないか」と心配する人がいる。だが、それは杞憂だ。そのような場合には、ストーリーの正しさを証明するために、証拠集めを始めた段階で、仮説を肯定するような証拠がなかなか集まらない。そのため自分のつくったストーリーが間違いであることにすぐに気がつく。初期段階で間違いに気づくので、余裕をもって軌道修正することが可能だ。

したがって、仮説思考で最初から自分なりにある程度まで踏み込んだストーリーを組み立て、それが正しいかどうか調べ、間違いに気がついたらただちに軌道修正し、あらためて他のストーリーを考える。この方法が最も効率的だ。

経験不足のうちは、わずかな情報でストーリーをつくろうとしてもなかなかうまくつくれないだろう。だが、仮説思考を使い慣れてくると、ストーリーがつくれるようになり、効率よく仕事が進められるようになる。

実際、意思決定が早く、環境変化への対応力がある企業は、仮説思考型の仕事の仕方をしているケースが多い。やってだめなら、他のやり方を試せばよいという発想で、まず仮説を立てる。そして、その仮説を事前に徹底的に調べるのではなく、ある程度めどが立った段階で、後は実施して検証したほうが早いという考え方が、個人だけでなく組織の中に浸透しているのだ。そうしたことの繰り返しの結果、仮説の精度や実行スピードも上がっていく。

間違った仮説でも効用がある

経験を積めば間違いが少なくなるとはいえ、せっかく立てた仮説が、仕事が進むにつれて、実は間違っていたとわかることは、実際にはよくある。また、仮説思考に慣れていない最初のころは、自信をもって立てた仮説がずれていたとか、まったく逆だったということも頻繁に起こる。そのような場合にはどうするのかという話を、ここでしておきたい。

まず、筆者でも間違うのかと問われれば、けっこう間違う。しかし、致命的な間違いはほとんどない。これは経験からくるものだろう。一方で、ちょっとした仮説の間違いはよくあるし、違っていれば平気で訂正する。また、誰もが考えつかないような思い切った仮説をよく考えるが、こちらはいまだに合っていることより違っていることのほうが多い。

また、一カ月もしたところに仮説が違っていたら、また一からやり直しになって大変ではないのかとよく聞かれる。しかし、まず一カ月もの間、間違った仮説を追い続けることは、きわめて少ない。

仮説が大きくずれていた場合、たとえば、営業不振という経営課題を扱っていて、本来はマーケティング部門の商品企画に問題があったのに、営業サイドの押し込み販売が問題だと勘違いして仮説を立てていたとしよう。こうした場合は、初期に営業現場や取引先にインタビューしたり、押し込み販売の額と企業全体の売上げ・利益へのインパクトの分析をしたりするので、その段階ですぐに押し込み販売だけでは全体の不振が説明できないことがわかる。せいぜい一～二週間の話である。だから、その段階で間違いに気づき、新たな仮説をつくればよい。もともとの仮説が否定される段階で、新しい仮説の芽は発見されていることが多いので、大したロスにはならない。

もっと小さな仮説の間違いはしょっちゅうある。それでは、結局、網羅的に見たほうが早いのではないかと思うかもしれないが、そうではない。

たとえば全体で一〇〇の課題があるときに、たとえ二つ、三つの仮説が間違っていたとしても、四つめに正解にたどり着けば、最初から一〇〇を網羅的に見るよりははるかに速い。これは、将棋の羽生善治がいっている、八〇手の可能性のうちくわしく検討するのは二、三手であるという話と同じである。

それでは、最初に立てた大きな仮説が、万が一、一カ月後に全否定された場合はどうだろうか。こうしたことは数少ないが、コンサルティングでも通常のビジネスでも十分起こり得る話ではある。

それでも私は、仮説思考のほうが網羅的アプローチより早いと断言できる。

たとえば三カ月で結論を出さなくてはならない経営課題を解決するために、よくマクロの日本経済から始まって、業界を取り巻く環境、自社の経営指標、競争相手の動向、さらには顧客・取引先の問題意識、はたまた自社の現場で起きている問題点などを羅列したレポートをよく見るが、それぞれが結局浅い分析にならざるを得ない上に、重要な論点もそうでない論点も同じレベルで分析されている。

それよりは、ある一点を深く調べたレポートのほうが、問題の本質に迫れる可能性が高い上に、経営上の打ち手につながりやすい。ということは、たとえ一カ月後からやり直したとしても、最初から間違わなかった場合に比べると、やや質は落ちるかもしれないが、三カ月後の結論は網羅的アプローチよりは質が高いものができる。

仮説をひとりで抱え込むのは禁物

実践的な話をすれば、みなさんが仮説を立てる場合に最終責任者であることはどれくらいであろう。もし、あなた自身が社長で間違いが許されないとすれば、判断は慎重にすべきだが、社長になるような人は通常仮説構築力が経験から身についていることが多いので、そんなに心配はないだろう。一方で、あなた自身はまだスタッフであるとしよう。これは大変ラッキーである。というのも自分が立てた仮説を最初から最後まで自分で検証しなくてもすむからだ。最初に立てた仮説をまず身近な人で試してみればよい。もちろん多少仮説思考に慣れた人であれば、まずその仮説の良し悪しの第一印象をいってくれるだろうし、その後でなぜそう思うかの説明をつけ加えてくれるはずだ。中には、「君は何を証拠にそんなことをいうのか。証拠をもってこい」という人もいるかもしれないが、そうした人とのやりとりは時間の無駄だ。また、たとえ仮説思考になじんでいない人でも、「どうもしっくりこないな」とか、「それよりこちらのほうが正解じゃない」といってくれる人がいれば、最初の検証としては上出来である。

さらに仮説の検証をある程度やった後で、上司や顧客からこういう点はおかしいのではないか、それはこんなふうに解釈すると逆の結果になるのではないか、といってもらえば、さらに仮説は進化する。上司や先輩が仮説思考にたけた人であれば、彼らがより進化した仮説を出してくれる可能性も高い。要するに、立てた仮説を後生大事に自分ひとりで抱え込むということさえしなければ、間違いや不十分なことをおそれる心配はないのである。

分析力よりも仮説思考力が大事

仮説思考という概念があまり世の中で知られていないのに対し、分析力は多くの人に知られている。ビジネスマンにとって重要な能力と位置づけられ、分析力を高めるために、スクールや書籍で勉強する人も多い。

しかし実際には、分析が苦手でも仮説が立てられれば、ビジネスの世界では通用する。反対に、いくら分析が得意でも仮説が立てられなければ、大きな仕事はできない。

分析は本来、意思決定を早めるために利用すべきものだ。課題に直面したとき、最初に分析を行ない、新しい情報を次々に拾い上げると情報洪水に溺れる危険性がある。そうではなく、先に仮説を構築して強い問題意識をもち、問題解決に必要な分析を選択して、その情報だけを拾い上げていくことが重要だ。

三カ月のプロジェクトの答えを二週間で出す

仮説思考を実践すれば、情報の洪水に溺れることなく、全体観をもって、迅速かつ効果的に問題解決を図ることができる。このような考え方で仕事のやり方を見直してみることを勧める。

たとえばプロジェクトのスケジュールを組むときも、きちんと積み上げていって終了間際にゴールに到達するようなスケジュールはよいとはいえない。むしろ与えられた期間の半分くらいのところで、大まかに全体を結論づけてしまうことだ。それでその後に、部分を改善していく。このような考え方を取り入れていくことで、仕事の質と効率の両面を著しく高めていくことができよう。

実際、三、四カ月のプロジェクトを行なう場合、私は、プロジェクトリーダーには二週間で答えを出すよう求める。プロジェクトリーダーは最初こそ戸惑うが、二週間で大枠の仮説を出してくる。この方法に慣れてくると、二週間で出した仮説と、四カ月間じっくり考えてたどり着いた答えとで、大枠の部分に限っていえば大きな差はなくなる。二週間で仮説を出せると、プロジェクトはスムーズに進む。残りの時間を、検証、チェック、顧客とのディスカッション、さらには顧客に完全に納得してもらえるようにするプロセスに充てられるからだ。当然仕事の質が高まり、作業もはるかに楽になる。

幹の話があれば仕事もスムーズに進む

大きなストーリー、すなわち幹の話が描けると、仕事もスムーズに進むことが多い。たとえば企業を改革していくとき、個別の解決策あるいは戦略を一〇も二〇も考えるよりは、「我が社はキャッシュフロー経営をしていこう」などと大きなストーリーをつくるほうが効果的だ。

よくある例だが、営業では顧客満足度向上、生産では品質改善、物流は在庫削減、開発部門は開発テーマの絞り込み、などと各部門で目標を設定すると、ひとつひとつは立派な改革案でも、全社という視点で進捗《しんちょく》をモニターしたり、成果を横比較したりするのが難しくなってしまう。それより、最初から「全部門が一丸となってキャッシュフローを改善しよう」という幹のストーリーがあれば、みんなで同じ目標に向かってアクションを起こすという意味で全社のベクトルを合わせやすい。たとえば、営業現場では店頭の在庫が常に適量であるように調節するとか、経理部門では売掛金を早期回収するとか、生産現場における仕掛かり在庫や原材料を極力削減していく、などといった具体的な施策につなげやすい。しかも、どの施策も直接的にキャッシュフロー改善につながるのが誰にでもわかる。結果として、徹底した実行につながりやすいのはいうまでもない。

ビジネスのスピードがどんどん速くなっていく中で、いかに効率的に仕事を進めていくかがビジネスの現場でますます重要になっている。仮説思考を身につけると、迅速にやるべきことを整理し、目的、目標に向けて意識、動きをフォーカスしていくことができる。仮説思考を身につける効用は実に大きいのである。

第2章

仮説を使う

The BCG Way——The Art of Hypothesis-driven Management

1 仮説をもって問題発見・解決に当たる

仕事を効果的かつ効率的に進める武器

「ヒット商品を開発する」、「市場でライバルに勝つ」、「不振事業を立て直す」……。ビジネスではさまざまな課題に直面する。こうした課題にどのようにとりくんでいくべきなのか。

ひとつ、考えてもらいたいことがある。日本のプロ野球は衰退の危機に瀕しているといわれる。あるとき、あなたは「プロ野球を救ってほしい」という依頼を受けた。あなたはプロ野球を救うためにどのような提言をすべきだろうか。この問題の考え方は後述する。

前述のように、ビジネスにおける課題の答えを導き出すとき、問題の本質とその答えについて、すべての可能性を網羅的に分析するのは難しい。時間の限られていない仕事などないから、ありとあらゆるケースを調べまくってから答えを出すなど無理な話だ。だからこそ、答えから発想すること、つまり仮説を立てることが重要になる。立ち止まって考えるよりも、とりあえずの答えをもって、実行に移していくことが大切だ。

これは医師が患者の診察をするときとよく似ている。たとえば腹痛を訴える患者がやって来たとしよう。腹痛は暴飲暴食が原因の場合もあれば、盲腸、胃潰瘍、胃ガンなどが原因の場合もある。あるいは患者自身は腹痛だと思っていても、胆石が原因の場合もある。胆石なのに胃薬を処方しても仕方ないし、胃ガンや胃潰瘍が原因ならば、薬ではなく手術が必要になる。つまり、適切な治療を行なうには、真の原因を突き止める必要がある。しかし、だからといって患者が来るたびに、人間ドック並みの検査を行なった上で治療をしていたら、時間がかかりすぎ、かえって病気が悪化するケースもあるだろう。だから医師は、腹痛の患者が来たとき、症状を観察し、「これは食べ過ぎが原因だ」、「これはレントゲンを撮る必要がある」、あるいは「胆嚢《たんのう》の超音波検査もしてみよう」などと考える。つまり、問題発見の仮説を立て、それに基づいて検査を行なうのである。

仮説を立てることは、仕事を効果的かつ効率的に進めるための大きな武器となる。

問題発見の仮説・問題解決の仮説

では、ビジネスの場面においての仮説思考の使い方を見ていくことにしよう。

仮説思考は、真の問題が何かを発見し、解決策をつくる上で非常に有効に働く。

実際に問題を解決する場合、問題そのものを発見する「問題発見の仮説」と、明らかになった問題を実際に解決する「問題解決の仮説」の二段階の仮説を使う。

問題が何かが最初から明確なら、解決策から考えればいいので、「問題解決の仮説」からスタートすればよい。しかし、実際のビジネスにおける問題には、問い自体が不明確な場合が多いので、そういう場合には、まず「問題発見の仮説」から始めることになる。問題を認識してその箇所を特定するところから問題解決は始まる。そして、その現象が起きている真因を発見することだ。表面的な現象に対処しても、根本原因を断ち切らなければまた同じような問題が発生してしまうだろう。

例を使って考えてみよう。

A社の家電製品は、製品の総需要もあり、商品力もあるにもかかわらず、売れていない。A社の製品を売れるようにするにはどうしたらよいか。

◆ 図表 2−1 「問題発見の仮説」と「問題解決の仮説」

例　A社の家電製品の売上不振の原因と打ち手

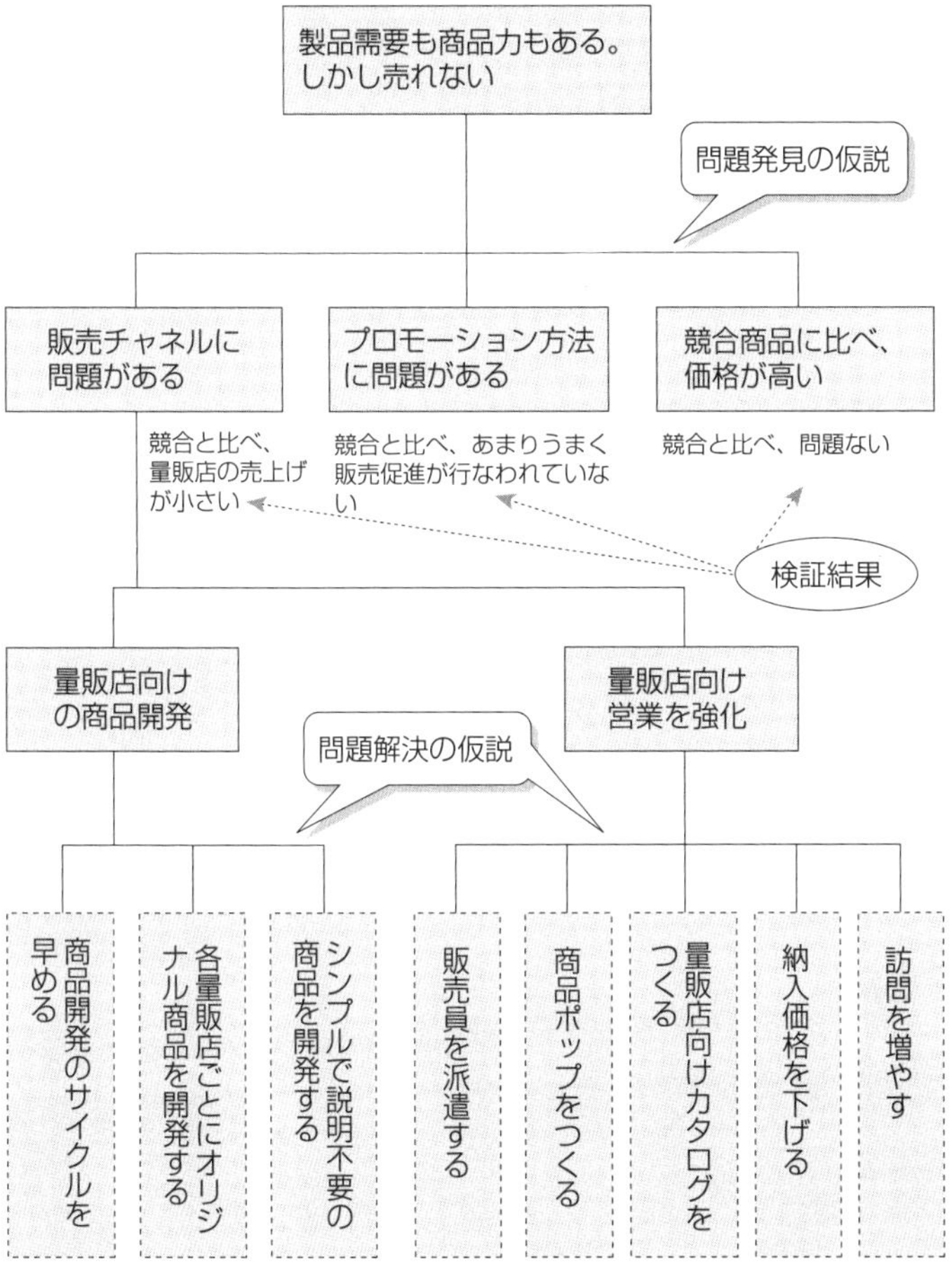

この場合、売れない理由がわからないから、まずは問題を発見しなくてはならない。仮に網羅思考で問題を発見しようとすると、まず多種の調査を行なうことになる。たとえば、消費者の購買行動・ブランド嗜好調査、営業マンの活動分析、競合他社との商品力・価格競争力比較、工場での原価分析、流通チャネルの経営分析などだ。これらの調査を行なうだけでも、膨大な時間と費用がかかり、調査が終わったころには消費者のニーズが次世代の製品へ移ってしまっている危険性もある。

仮説思考では、最初に「売れない理由はこれではないか」という仮説をいくつか立てる。たとえば、次のようなものだ（図表2—1）。

① 競合他社の商品に比べ価格が高いのが問題なのではないか
② プロモーションの方法に問題があるのではないか
③ 販売チャネルに問題があるのではないか

網羅思考で考えたら、数多くの問題がリストアップされるに違いない。一方、仮説思考では「これではないか」という可能性の高い仮説（ここでは三つ）に絞って考える。

問題を絞り込む

次に、問題と考えられる価格、プロモーション、チャネルについて調べてみる。仮説の検証である。すると、次のことがわかった。

① 価格は競合他社と比べて問題ない
販売店によって多少のでこぼこはあるものの、競合他社に比べて価格で負けていることはない。

② 競合他社に比べあまりうまく販売促進が行なわれていない
テレビ広告などのマス広告では競合他社に引けをとらないが、店頭レベルでの販売促進やチラシ広告などでは他社に劣っている。

③ チャネルごとの売上げは、他社は量販店での売上げが大きいのに対し、自社製品は伝統的な〝町の電器屋さん〟で圧倒的に売れている
実際に店頭に行ってみると、量販店では自社製品は他社製品に比べて陳列してもらっている商品数が少ないことがわかった。価格は競合他社とほぼ同じであった。しかし店員に各社の商品のことを尋ねてみると、他社製品を勧める店が多いことがわかった。

この検証結果をもとに、プロモーションとチャネル、とりわけチャネルに問題があるのではないかと考える。

具体的な打ち手の仮説を立てる

問題を発見したら、問題解決のための仮説づくりに進む。このとき大切なのは、いかに素早く、少ない数のスジのよい答えを考えられるかだ。

A社の家電製品が売れないのは、チャネルに問題があるからと考えられる。そこで、A社の弱いチャネル、つまり量販店でいかに売上げを上げるかという戦略を考える。

この場合も、網羅的に量販店の売上拡大のための戦略をリストアップすることはできるだろう。しかし、あえてそれはせずに、問題解決の仮説を立てるのである。

たとえば次のような打ち手が考えられる。

① 量販店向けの営業を強化する

② 量販店向けの商品開発をする

それぞれについてさらに具体的に考えると、①の営業強化でいえば、以下のような具体的打ち手の仮説を立てることができる。

a　量販店に対しての訪問を増やし、自社製品のよさを店側によく知ってもらう

b　納入価格を下げることによって、量販店の取り分（利益）を増やし、自社製品を推奨してもらう機会を増やす

c　他社製品に比べて自社製品の優れている点を強調した、量販店向けの専用カタログをつくる

d　消費者が量販店に足を運んだときに自社製品が目立つように商品ポップをつくる

e　販売員を派遣することで、量販店の営業活動を支援する一方で、消費者には自社製品をさりげなく勧める

また、②の商品開発でいえば、次のような仮説を立てることができる。

a　量販店では複雑な機能をもつ商品よりシンプルで説明が不要な商品のほうが売りやすいので、そうした商品を開発する

b　量販店同士も激しい競争を繰り広げていることから、各量販店ごとにオリジナル商品を開発して提供する

c　量販店では常に新しい商品を求める顧客が多いので、新商品開発のサイクルを早める

具体的な打ち手を絞り込む

次に仮説の検証を行なう。これまでに挙げたような打ち手が実際に効果を上げることができるかどうか、あるいは経済的に見合うのかどうかといった点について、量販店の強み・弱み、競合の動向、投資金額、必要人員などの視点から検証し、実際の打つべき手を考える。仮説・検証をいく度となく繰り返すと、次第に勘が働くようになり、早い段階でここまでたどり着けるようになる。

一方、網羅的に調査すると、作業量が膨大になり、また、途中でデータの海に溺れたり、原因と結果の因果関係がわからなくなったりすることもある。調査のための作業のようになり、本来の目的を達成することができなくなってしまいがちだ。何よりここに至るまでの時間を考えると、その差は歴然としていることがわかるだろう。正しい答えを導きだすためには、あらゆる情報を収集し、あらゆる可能性を検討すればよいのであろうが、実際

のビジネスの現場ではそんな余裕はない。そこで仮説思考がものをいうことになる。

事例　プロ野球を救うための仮説

さて、本章の冒頭部分であなたに宿題を出しておいたことを覚えているだろうか。衰退する日本のプロ野球を救ってほしいという依頼に対し、あなたはどのような提言をするだろうか。

問題発見――「衰退」の意味

最初に行なうべきは、問題の発見である。プロ野球が衰退しているというが、何を指して衰退というかを考える。

たとえば、選手が大リーグに流出することを衰退というのか。あるいは、テレビの視聴率低下を指して衰退というのだろうか。あるいは、観客動員数が減ったことが問題なのか。それともビジネスとして赤字であることが問題なのか。

問題の設定によって当然答えも変わるのだが、これらをひとつひとつ考えていたら、とても一定時間内に問題解決まで到達できない。

そこで、依頼者の問題意識についてのインタビューなどから、まず問題発見の仮説を立てる。ここでは「テレビの視聴率が下がった結果、テレビのプロ野球離れが進んでいることが問題」と定義したとする。

問題解決――打ち手を考える

次に問題解決の段階に進む。まず視聴率の低下について分析する。インターネットや携帯電話の普及によって、テレビ視聴率が相対的に下がっているのか。あるいは他の番組はいままでどおりの視聴率を上げているのに、プロ野球だけが落ち込んでいるのか。すると後者であることがわかる。

これをもとに、テレビのプロ野球離れを解消するための、具体的な打ち手の仮説を考える。たとえば、①テレビ向けにルールを改正する、という仮説を考える。

サッカーはほぼ二時間で終了するが、プロ野球は三時間はゆうにかかり延長戦に突入すると何時間で終了するかまるでわからなくなる。きわめてテレビ中継に不向きなスポーツだ。そこでルールを変更し、たとえば二時間が経過したイニングで終了とする。

これは、バレーボールなどがとったやり方である。従来はサーブ権というものがあったためになかなか点が入らず、長時間ゲームが多かった。そこで、サーブ権を廃止したり、第5セットまでいった場合は通常より少ない点数で終了するなどの工夫をして、テレビ向けにルールを改正して人気回復に成功した。また、アメリカで人気のあるバスケットボールやアメリカンフットボールは元々時間制であり、きわめてテレビ放映に向いたスポーツである。

あるいは、放送枠を増やしたいのなら、②放映権を無料にする、という仮説も考えられる。そうすれば球団の収入は減るが、テレビ局はローコストで番組製作ができるので、低視聴率でも放映できる。するとコンテンツ数が増え、コンテンツが増えれば、見る人が増えると考える。もともとプロ野球というものが単独で収益を上げる事業ではなく、企業の知名度アップやイメージ向上といった広告効果が目的だったことを考えれば、放映権無料というのは実はきわめて現実的な解だといえる。テレビ局はコンテンツが安く手に入り、球団保有企業はテレビに映ることで広告効果が上げられるというWIN-WINの関係になる。

一方で、昔は企業広告でよかったが、いまや収益事業だということになれば、今度は黒字化が大きな目的になる。そうなると大きな赤字要因である人件費、すなわち選手の年俸に手をつけることになる。テレビ放映権料が入ってこなくても、球場収入だけで成り立つ身の丈に総コストを絞り込む必要が出てくる。

この思考プロセスでわかるように、重要なのは最初に問題を絞り込むことである。問題を絞り込むと、幅広いテーマでもかなりコンパクトに扱うことができる。仮説を使うということは、問題を考えついたり、答えを探しだしたりするプロセスというよりむしろ、効率的に不要な問題や役に立たない解決策を消去するプロセスなのである。

2 仮説・検証のプロセスを繰り返す

繰り返しで業務を改善する

最初に考えた仮説を実行し、それで課題解決にいたれば、これほどすばらしいことはないのだが、実際にはなかなか難しいだろう。

なにより仮説は正解ではない。確からしい答えなのである。極論すれば間違っていても一向にかまわないというものだ。仮説は何らかの作業を通じて検証できるものでなくてはならない。仮説は検証することで、よりよい仮説に進化していく。仮説→実験→検証を繰り返すことによって、個人や組織の能力は向上するともいえる。したがって、仕事の中にこのプロセスを組み込むことができれば、比較的スムーズに業務改善を進めていくことができる。

たとえば、ある自動車セールスマンが、「顧客の家の子どもが大学を卒業したり、結婚したりすると、自動車を買い替える可能性が高い」という仮説を立てたとする。次に、顧客の家の子どもが結婚しそうだという情報を聞き込むと、実際にセールスが行き、その仮説が当たるか否かを検証する。これを何度も繰り返せば、徐々に仮説が正しいものになっていく。そして、検証された仮説に基づいて行動すれば、セールスのヒット率は高まっていくことだろう。

セブン-イレブンの仮説・検証システム

こうした考え方を経営の基本において成功したのがセブン-イレブン・ジャパンである。コンビニエンスストア（CVS）の業界で、セブン-イレブンは、経常利益が一七〇〇億円を超え、営業利益率も三五パーセントを超えるというダントツの売上げ・利益を誇っている。消費者から見ると、セブン-イレブンに置かれている商品の価格も品揃えも、特にほかのコンビニと変わりがあるようには見えないし、立地環境も特段に優れているとは思えない。

それにもかかわらず、セブン-イレブンがあれだけの利益を生みだしている理由はどこにあるのか。それは、仮説→実験→検証のプロセスを繰り返していることにある。鈴木敏文会長が常々語っていたのは、「自分たちの仕事は、どうやったら売れるのかをまず考えてみる。最初に仮説をつくるのだ」ということである。たとえば、この商品はここに並べたけれど、あちらの売り場に移したほうが売れるのではないかという仮説を立て、実際にそれを実行に移してみる。そのやり方で以前より売れたら、その仮説は正しかったということになり、売れなければ、前のやり方に戻すか、あるいはまた別のやり方を考えて、それを実際にやってみて検証していく。毎日の業務が、仮説→実験→検証という流れで進んでいくのである。

ソフトドリンクの売上げは品揃えか？　陳列スペースか？

少し古い話ではあるが、セブン－イレブンでは、炭酸飲料やジュースなどのソフトドリンクについて、こんなに商品が多くては、消費者が本当に買いたい商品が見つからないのではないかという仮説を立てた。それまでは、ソフトドリンクの種類が増えるたびに、品揃えの多いほうが売れるのではないかと、できるだけたくさんのアイテムを陳列していた。しかし、ソフトドリンクの種類が爆発的に増えてくると、あまりに多すぎて、消費者は本当に欲しいものが見つけられないのではないか、と考えた。消費者は情報洪水に溺れているのではないか、これを救済するには、店側である程度情報を選択したほうがよいのではないかという仮説である。

これを検証するために、店内のひとつの冷蔵庫に並んでいるソフトドリンクの種類を三分の二に減らしてみた。通常であれば、商品の種類が三分の二に減ってしまえば、品揃えや選択の幅が狭まり、売上げが落ちると考えがちである。しかし、結果は仮説どおりに売上げが三割増えた。

では、なぜ売上げが増えたのか。実は一律に商品数を減らしたわけではない。商品数を減らすとき、売上げの少ない「死に筋」商品をカットし、逆に「売れ筋」のウーロン茶などの陳列面積を増やしてみたのである。どんな店でも陳列スペースには限りがある。「死に筋」商品をカットしないかぎり、「売れ筋」商品の入る余地がなくなる。売上げの少ない商品をカットし、売れているウーロン茶などは一本分のスペースだったものを、横に四本程度並べるようにした。面を増やすことで、品切れの機会が減り、当然ながら顧客も選びやすくなるので買い損なう機会が減る。要は、顧客が欲しいものがすぐに見つかる、あるいはそれが常に品切れしない状態にしておくということである。この二つの効果が相まって、ソフトドリンクの売上げが従来より三割増えたのである。

年間三六五回の検証を実行する

セブン-イレブンでは、コンピューターシステムが整備されているために、こうした仮説・実験・検証のプロセスを毎日試すことができる。今日やった実験の結果がその日のうちに売上データとして出てくるので、必要であれば翌日にはまた別の実験に取りかかれる。たとえば、サンドイッチとカップスープは隣同士に置いたほうがよく売れるのではないかという仮説を立て、売り場を実際に変更してみる。すると、その結果、売上げが増えたか減ったかは、翌日には判明しているのである。

仮説を立て、実験して、検証するというプロセスを毎日実行できるということは、やろうと思えば一年で最大三六五回の実験ができるということである。こうした日々いろいろな売り方の工夫ができる企業と、数カ月に一回しか仮説検証ができない企業では、同じ商品を同じ価格で売っても、売り方のスキルやノウハウに歴然とした差が出るのは当たり前といえば当たり前である。

実験回数が増えるほど仮説は進化

仮説→実験→検証は、繰り返せば繰り返すほどよい。ひとつのサイクル（仮説→実験→検証）でわかったことをもとに、より進歩した仮説を立て、実験し、検証できる。これを繰り返すことによって、仮説はさらによくなる。すなわち仮説が進化していく。仮説を進化させるには、仮説を立ててから検証するまでのサイクルタイムを可能な限り短期間に抑え、できるだけ数多くの実験を繰り返すことがポイントになる。単位時間内に行なえる実験回数が多ければ多いほど、仮説がプラスに検証される確率が高まるからである。

繰り返しになるが、何も実行しないことが大きなリスクになる今日、いつまでも選択肢を拡げる情報収集を続けて意思決定のタイミングを遅らせるわけにはいかない。限られた情報をもとに、仮説思考によって最適な意思決定をすべきだ。立ち止まって考えるよりも、とりあえずの答えをもって、実験するという方法も有効なのだ。実験によって検証し、さらによい仮説をつくり、さらなる検証によって仮説の精度を高めていくことが肝心だ。

3 仕事の全体構成を見通す

全体が見えれば無駄が減る

　ここまで仮説思考を使って問題解決する方法について述べてきたが、次に仮説思考によって仕事を大局的に見る方法について解説したい。

　いきなり仕事を始めたり、各論から手をつけたりするのは、地図なしに太平洋を泳ぎ始めるようなものだ。仮説思考によってストーリーの大枠を先につくっておけば、目的・結果志向で仕事を進めることができ、成果に結びつけやすい。同時に、仕事が効率的にできて無駄が少ない。

　たとえば、仕事のレポートを書く場合、締め切りの直前まで網羅的に文献や資料を集め、そこから書きだすと、すでに書くエネルギーも時間もなくなってしまっていることが多い。

肝心のネタを取り忘れていたということもある。むしろ資料が十分に揃っていなくても早い段階でストーリーの全体構成をつくってしまい、全体観をもつほうが効果的である。

少ない情報で仮説思考を働かせて全体のストーリーと構成を考え、さらに必要な情報だけを追加で調べる。調べた結果に応じて、ストーリーを修正したり進化させたりしていく。このようなやり方のほうが、効率がいいし、結果的に問題解決に直結するよいレポートになる。

つまり十分な分析や証拠がない状態でも、問題に対する解決の方向性や具体的打ち手まで踏み込んで、全体の仮説をつくってしまうのだ。その際に必要になるのが、ストーリーを構造化することである。

構造化とは、「今回のストーリーをこういう内容でつくり、こういう構成で仕立てようという全体のシナリオ」をつくることだ。たとえば、「現状分析をしてみると、こんな分析結果が得られるだろう。その中でも問題の真因はこれで、その結果としていくつかの打ち手が考えられる。中でも最も効果的なのはこの戦略だろう」という筋道を、仮説ベースでつくってしまう。

この方法は、証拠不十分な状態で大胆にストーリーをつくり上げるため、重大なことを見逃して間違ったストーリーをつくってしまうリスクを心配する人もいるだろう。しかし、前述のように、そのような場合には、検証するための証拠集めを始めると、思ったような証拠は集まらず、仮説が間違っていたことにすぐに気づく。初期の段階で間違いに気づくことができるので、たとえ間違っていても余裕をもって軌道修正することが可能だ。

具体例を見ながら、どのように全体構成をつくっていくのかを紹介したい。

事例1　化粧品の売上打開策のレポートを書く

仮に、化粧品メーカーのマーケティング企画スタッフが、売上打開策の検討を命じられ、レポートを書く場合を想定して考えてみるとしよう。

まず、いままでの観察やすでにあるデータ、あるいは社内キーマンのインタビューを通じて、次のような仮説を立てたとしよう。

「我が社のマーケティング戦略の課題は、個別の商品力や価格競争力にあるのではなく、ユーザーセグメントが変化しているのに対して、マーケティング戦略が追随できていないことにある。とりわけ顧客層が中高年から若者、女性から男性へとシフトしているのに出遅れていることにある」

この段階では、すでに社内にあるデータは一部入手しているが、仮説の検証や深掘りのための調査・分析作業にはまだ着手していない。それらの作業を始める前に、仮説思考を働かせて全体の構成を考え、ストーリーの大枠をつくる。レポート全体のストーリーは、大きく、現状分析、結論、提案の三つに分けて考える（図表2―2）。

まず、仮説を裏づけるために「I．現状分析」のブロックに必要な構成要素として、次の三つのブロックを想定する。

1　製品とコスト
2　ユーザーセグメンテーションと製品ポジショニング
3　プロモーションとチャネル

全体のストーリーを考える際、大きな問題と小さな問題をまぜこぜにしないことが大切だ。

次に、現状分析のブロックのストーリーを考える。これも、現段階では検証されていない部分を多く含む、仮説ベースのストーリーである。

製品とコストに関する小ブロックは、以下のようなストーリーを考えることができる。

◆図表2－2　全体構成（ブロックチャート）

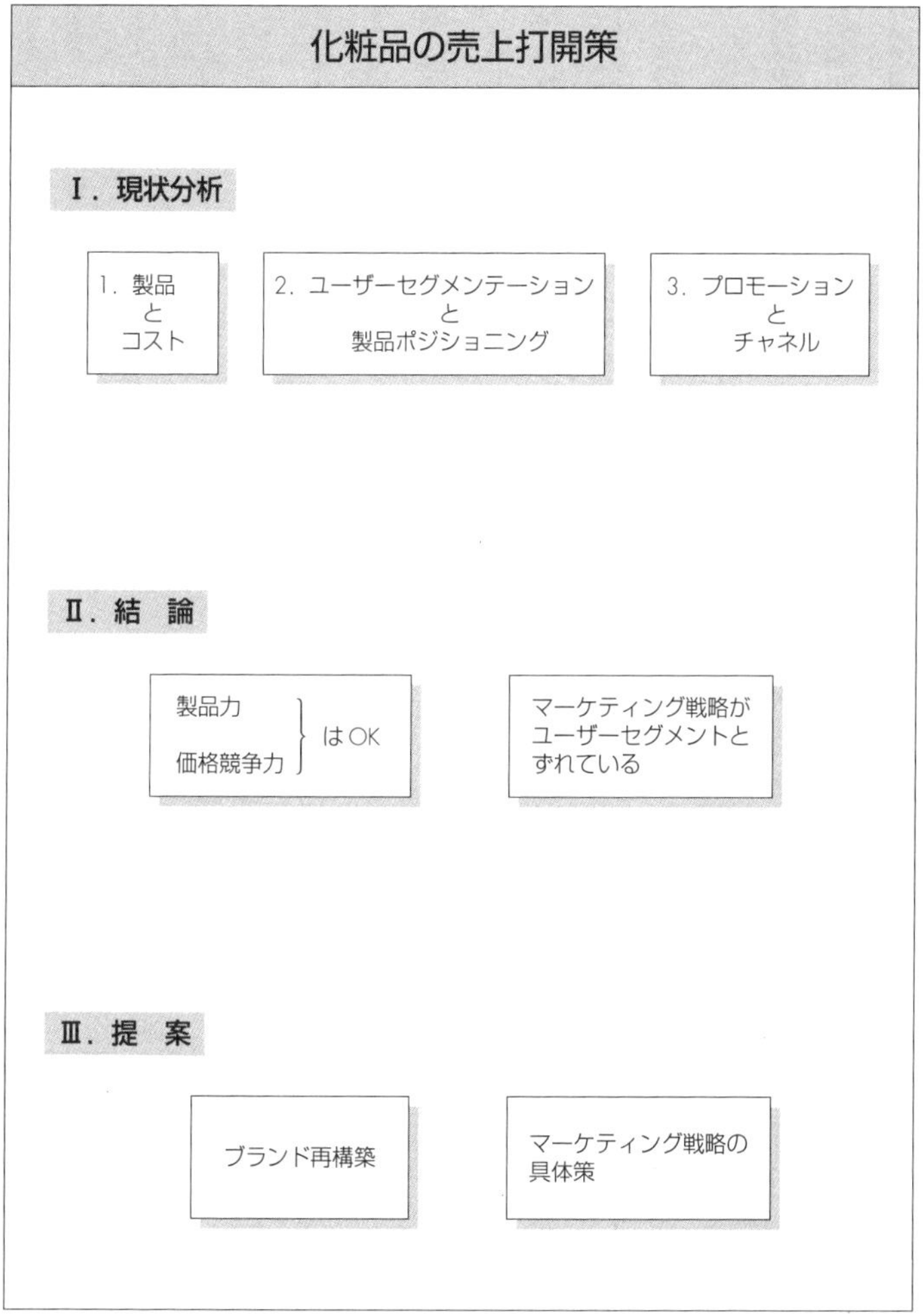
化粧品の売上打開策
Ⅰ．現状分析
1．製品
と
コスト
2．ユーザーセグメンテーション
と
製品ポジショニング
3．プロモーション
と
チャネル
Ⅱ．結　論
製品力
価格競争力
はOK
マーケティング戦略が
ユーザーセグメントと
ずれている
Ⅲ．提　案
ブランド再構築
マーケティング戦略の
具体策

① 製品は決して悪くない。顧客からのクレームも少なく、製品の品質には問題がなさそうだ。

② 多品種少量生産が多く、競合大手に比べてコスト高ではあるが、マーケティング費用に比べれば無視できる違いである。

ユーザーセグメンテーションと製品ポジショニングのブロックは、次のようなストーリーを考える。

女性向け商品に関しては次のように考える。

① 普及品から高級品まで五種類のブランドをもっている。中高年女性の支持は高いが、若い人の支持は低い。

② ブランドイメージは信頼や安全、オーソドックスというキーワードで表され、どちらかというと保守的なイメージである。それに対して競争相手のブランドイメージは、躍進、革新、科学的といった正反対のイメージのあるキーワードで表される。

さらに男性向け商品に関して、次のように考える。

① 女性市場に比べて若い男性向けの化粧品市場が急成長している。
② ところが男性向け商品は一ブランドしかなく、しかもこのブランドを愛用しているロイヤルユーザーはすでに高齢化している。

最後に、プロモーションとチャネルのブロックのストーリーを、これも仮説ベースで考える。

① マーケティング投資はテレビ、女性誌などで積極的に行なっている。しかしテレビに関しては個別の商品広告よりも企業イメージを訴える広告が多く、ターゲットユーザーに届いているかどうかは疑問である。
② 若い男性に向けたブランドがないこともあり、若い男性向けの雑誌やネットはほとんど手つかずの状態である。
③ チャネルは伝統的な化粧品店、百貨店、スーパーが中心で、新しいチャネルであるドラッグストアなどではほとんど商品が取り扱われていない。

「Ⅱ．結論」のブロックは、現時点の仮説で構成される。

①　製品・価格競争力では負けていないけれども、

②　ユーザーセグメントが昔に比べて大きく変化している。たとえば魅力あるターゲットは中高年層から若者に移行したり、あるいは女性から男性に移行したりしていることに対して、マーケティング戦略が対応できていない。特に、これからの成長市場である若い男性セグメントで完全に出遅れている。

そして、「Ⅲ．提案」のブロックとして、以下のように打ち手の仮説を考える。

女性向けのブランドを五つから三つに整理し、浮いた経営資源、特に商品開発、販売にかかわる人員、販促費、広告費などを、新男性ブランドの構築に注ぎ込むべきだ。

その理由は、たしかに女性市場のボリュームは大きいけれど、いまさら成熟市場である一〇代から二〇代の女性セグメントを強化しても、競合に対して劣位にあるため投資の割には大きなリターンは望めないと考えられる。五つのブランドを三つに減らしても、主力ブランドを残せば、売上減も一五パーセント程度にとどまり、さまざまなコストが抑えられる分で利益はほぼ横ばいを確保できる。したがってブランドを減らすことのネガティブ

◆ 図表 2−3　全体のストーリー

化粧品の売上打開策

Ⅰ. 現状分析

1. 製品とコスト
   - ●製品は決して悪くない。顧客からのクレームも少ない。
   - ●多品種少量生産が多く、競合大手に比べてコスト高ではあるが、マーケティング費用に比べると無視できる違い。

2. ユーザーセグメンテーションと製品ポジショニング
   - ●女性向け商品
     - —女性向けブランドは普及品から高級品まで 5 ブランドも存在する。
       - ・中高年女性の支持は高い。
       - ・若い人の支持は低い。
     - —ブランドイメージが信頼・安全・オーソドックス。
       - ・競争相手は、躍進・革新・科学的。
   - ●男性向け商品
     - —市場が拡大しているのは女性より若い男性マーケット。
     - —男性向けは 1 ブランドしかなくロイヤルユーザーがすでに高齢化している。

3. プロモーションとチャネル
   - ●マーケティング投資は積極的に行なっているが、ターゲットユーザーに届いているか疑問。
   - ●若い男性向けの雑誌やネットはほとんど手つかず。
   - ●チャネルは伝統的な化粧品店・百貨店・スーパー中心。

Ⅱ. 結　論

- ●製品・価格競争力では負けていないが、
- ●ユーザーセグメントの変化にマーケティング戦略が対応できていない。
  - —特にこれからの成長市場である若い男性セグメントで出遅れている。

Ⅲ. 提　案

1. 女性向けの商品ブランドを５つから３つに整理し、浮いた経営資源（商品開発・販売人員・販促費・広告費）を新男性ブランド構築に注ぎ込む。
   - ●理由：　……
2. マーケティング戦略
   - ①　ターゲットはこれから男性化粧品を使い始める男子中高校生。
   - ②　低価格帯の普及品を新規開発する。
   - ③　チャネルはコンビニエンスストアとドラッグストアに限定する。既存の自社チャネルである化粧品店や スーパーはあえて使わない。
   - ④　広告は雑誌、口コミ、ネット中心で行ない、テレビ広告は行なわない。

なインパクトも少なそうだ。
さらに具体的なマーケティング戦略として、以下のような提案を考える。

① ターゲットをこれから男性化粧品を使い始める男子中高生に定める。
② 低価格帯の普及品を新規開発する。
③ チャネルも既存の化粧品店やスーパーなどはあえて使わずに、コンビニエンスストアやドラッグストアなど、男子中高生が行きそうなところに限定する。
④ 広告は雑誌、口コミ、ネット中心で行ない、あえてテレビなどのマスメディアでの広告は行なわない。

これを先ほどの図表2—2のブロックチャートに実際に書き込んでみると、図表2—3のようになる。
このように全体像をとらえてから、必要な調査や分析などの作業とその優先順位を考え、仮説検証のための必要最小限の作業を行ない、それを踏まえて仮説を修正・進化させ、ストーリーを修正していく。こういったプロセスをスパイラルのように繰り返しながら、この後の検討を進めていく。

事例2　高級加工食品カテゴリーの競争戦略

もう一例、見てみよう。食品メーカーB社は、ある高級加工食品カテゴリーで全国的に高いシェアを誇っていたが、ここ数年、B社より後発で規模も小さいC社にいくつかの重要な地域市場でシェアを奪われつつある。B社のタスクフォース・メンバーが、C社に対抗するための競争戦略をつくり、経営陣に提案すると想定して考えてみよう。

ストーリーをつくる場合、手元にある情報や分析結果はさまざまだ。ここでは図表2―4のように、コスト構造と地域別マーケットシェア、地域別販売価格の三種類の情報がすでにわかっていると仮定する。

まず、コスト構造についてはB社のほうが生産量が多くて規模も大きいにもかかわらず、単位当たり生産コストはC社のほうが低いことがわかっている。次に地域別のマーケットシェアを見てみると、B社は全国どこでも似たようなシェアなのに対して、C社は地域ごとにシェアがバラバラで、販売を行なっていない地域もある。さらに販売価格についても、B社が全国一律なのに対して、C社はシェアの高いX地域ではB社より高い価格で販売しており、地域ごとに価格に差があることがわかっている。

◆ 図表 2−4　すでにある情報から全体仮説を立てる

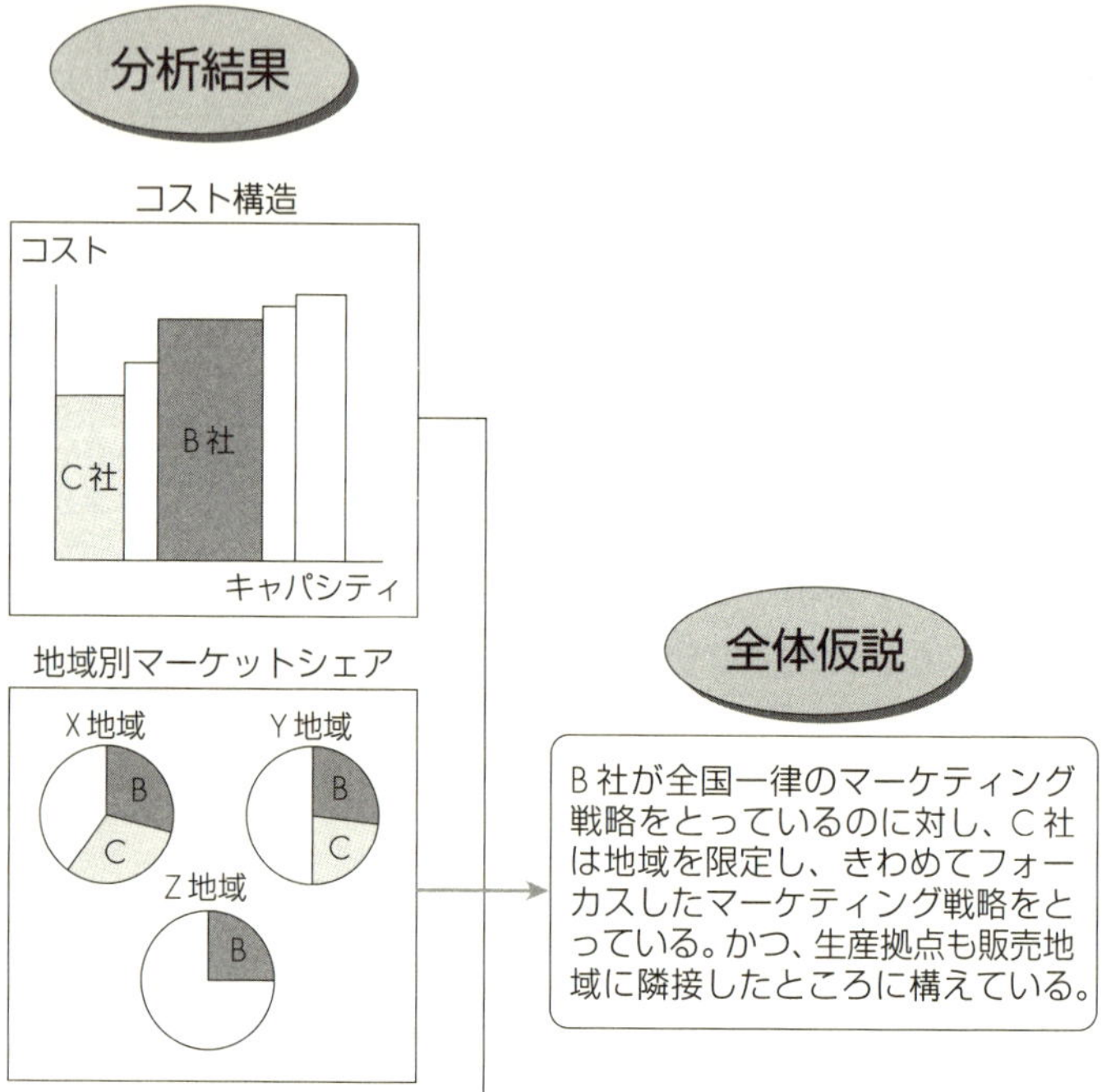

地域別販売価格

	B社	C社
	(円)	(円)
X地域	800	850
Y地域	800	780
Z地域	800	—

次にこの三つの情報から、全体的な仮説を立てる。たとえば、「B社が全国一律のマーケティング戦略をとっているのに対し、C社は地域を限定し、きわめてフォーカスしたマーケティング戦略をとっている。かつ、生産拠点もかなり販売地域に隣接したところに構えているため、結果として生産コストが安いのではないか」という仮説を立てたとする。

次に、その仮説をどういう分析結果で立証していくかを、あらかじめ考える。

図表2―5にストーリー構成の例を示すが、四角の枠の中に「(データあり)」とあるのは、すでにデータがあって、ある程度わかっていることを示す。「(一部データあり)」とあるのは、データの一部があること、「(データなし)」は現時点では何の証拠もないことを表す。一見してわかるように、「(データあり)」よりも「(一部データあり)」と「(データなし)」の合計のほうが圧倒的に多い。仮説思考を実践するには、これくらいわずかな情報から、全体のストーリーを考えてしまうことが必要なのだ。

このようにストーリーのアウトラインをつくる場合に、BCGでは「空パック」を使う。これは「空パッケージ」の略で、中身が埋まっていないスライドがたくさんあるパッケージという意味だ。ちなみにスライドとは、われわれがプレゼンテーションやディスカッションのために使う資料の一枚一枚のことだ。「空パック」とは、具体的にいえば三〇枚くらいのスライドのパッケージのうち、大半が埋まっていないか、あるいは、いいたいこと、

◆ 図表 2−5　ストーリー構成の例

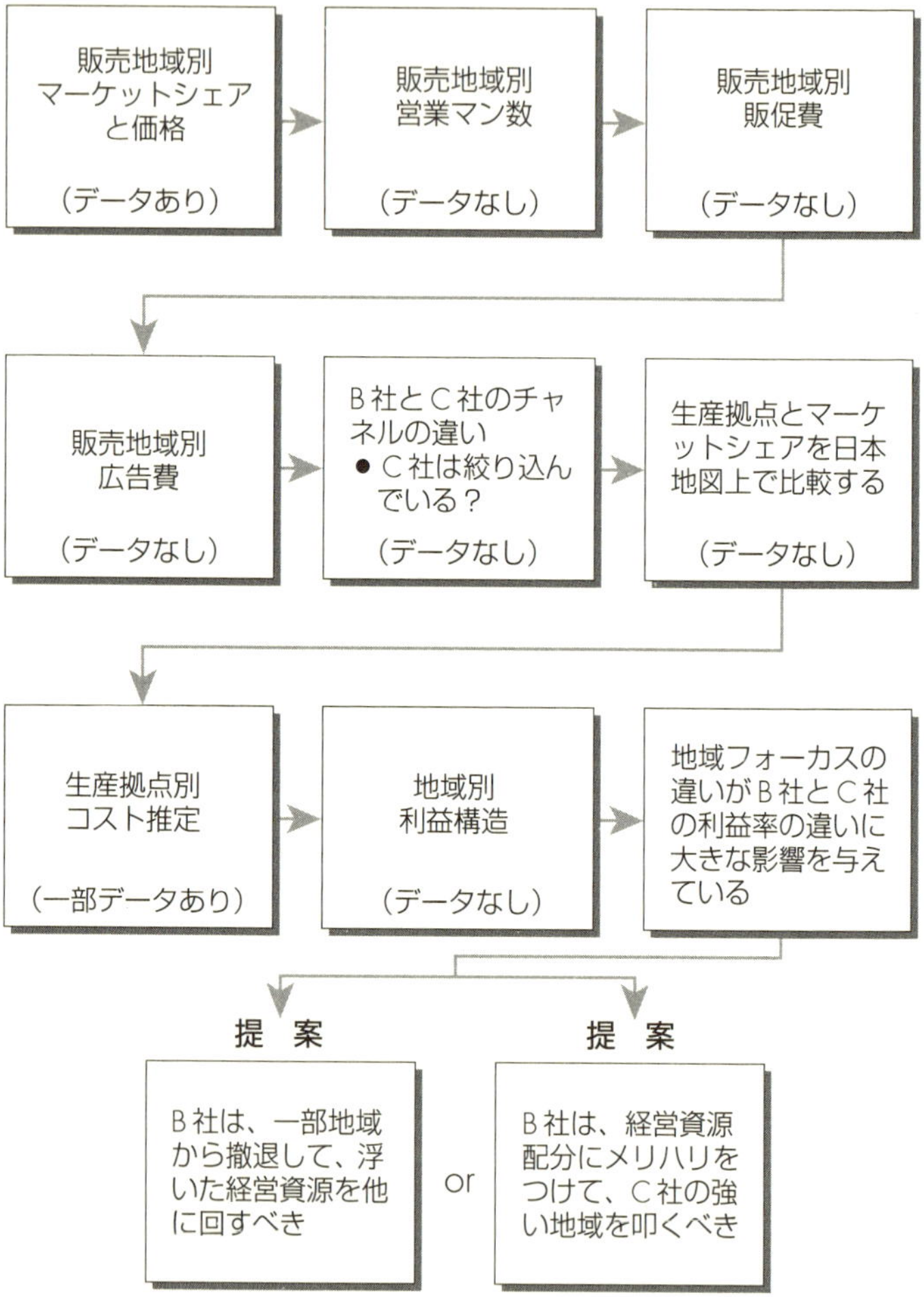

証明したいことは書いてあるが、内容は書かれていない、あるいは分析されていないスライドの集まりのことだ。要はストーリーラインのみがわかるもの、そして、いいたいことをいうために必要な資料のイメージだけのパッケージのことだ。

それでは、具体的に順を追って見ていこう。販売地域別マーケットシェアについては、すでにデータがある。次に、営業マンの数や販促費、広告費について、C社では地域別にメリハリをつけているのではないかという仮説を立てる。これらについて調査分析し、B社と比較してみる。

あるいは、B社とC社ではチャネルに違いがあることも考えられる。たとえばC社はチャネルを絞り込んで優良チャネルに限定して販売しているため、これが二社の利益の差になっているのではないかと考え、検証する。

また、規模が小さいC社のほうが生産コストが低いのは、生産拠点とマーケットが隣接しているからではないか、それに対してB社は全国規模で販売しているため、物流や在庫でコストがかさみ、全体として生産コストが高くついているのではないかという仮説を立てる。それを検証するために、生産拠点とマーケットシェアを日本地図上で比較したり、生産拠点別・工場別に各社のコストを推定してみる。

そして、両社の地域別利益構造を調べてみると、B社にもコストが高い地域と安い地域があり、一部の地域ではC社に勝っているけれども、他の地域では負けているという事実が判明するかもしれない。つまり、全国一律の戦略をとっているB社は、地域ごとに利益構造が異なると予想できる。それに対して、C社は地域ごとにメリハリのある戦略をとっているので、儲かっている地域ではシェアが高く、儲かっていない地域ではシェアが低い、あるいは販売を行なっていないと予想できる。これについても検証を行なう。

次は結論だ。地域フォーカスの違いがB社とC社の利益率の違いに大きな影響を与えているのではないかという結論が考えられる。この結論から導きだされる提案は、たとえば二つあり得る。ひとつには、全国一律の戦略をとるのはやめ、一部地域から撤退し、浮いた経営資源を他の地域に回して利益率を上げるべきという提案が考えられる。ただこれではC社と同じ戦略になってしまうので、C社と勝負して勝つためのもうひとつの提案として、C社が販売を行なっていない地域では手を抜き、C社のシェアが高い地域に対して多くの経営資源を投入して、C社が最も儲かっている地域でシェアを拡大しようという提案が考えられる。

ストーリーを構造化するということは、ストーリーをこういう内容でつくり、こういう構成で仕立てようという全体のシナリオをつくることだ。

まずはストーリーを構造化して全体を見通してから、その後、それぞれのブロックに適切なグラフや資料を盛り込んでストーリーを詳細につくり上げていく。いきなり細部からつくるのではなく、ストーリーを構造化することで全体の大まかなシナリオをつくってから、そこに詳細な内容を加えていくのだ。

その足りないピースを想像力で補って、全体のストーリーをつくる。その足りない部分を補う想像力が、別の言い方をすればまさに仮説思考力である。

4 人を動かすのに必要な大局観

人を動かすのにも効果的

前項で述べたように、空パックを使ってストーリーのアウトラインをつくり、全体像を見渡すと、その後の作業が明確になり、仕事のスピードは格段に速くなる。

さらに、「空パック」は、自分の頭を整理するときややるべきことを整理するときに役立つだけでなく、他人に仕事を頼むときや、上司に自分がやろうとしていることを説明する際にも大変役に立つ。その理由として次のような点が挙げられる。

① 自分が何を考えているかが明白になる

② すでにわかっていることや証明されていることがわかる（内容が埋まったスライドが

これに当たる）

③　何が足りないのか、そのためにどんな情報収集や分析をやらなければいけないかがわかる、伝わる（タイトルやメッセージのみ書かれたスライド、あるいはこんなアウトプットになるとよいなという期待を書き込んだスライド）

つまり、空パックを利用すると、大きなストーリーが描け、仕事もスムーズに進む。大きな幹のストーリーは伝わりやすく、それを実現するためのアクションも起こしやすい。すなわち人を動かしやすいのだ。

仮説思考でプレゼンを組み立てる

でき上がった提言や結論を組織で実際に実行に移してもらうためには、プレゼンテーションが重要な役割を果たす。というのも、人間は自分で納得しないとなかなか前に進まないからである。

プレゼンテーション用のパッケージは、シンプルでわかりやすいことが大切だ。組織では企画提案や提言の内容が簡単でわかりやすいほど行動に移しやすく、変化が起こりやすい。したがって、提案・提言の前段となるパッケージも、簡単でわかりやすいものでなくてはならない。

以前アメリカのユナイテッド・テクノロジーズという会社が『アメリカの心』(学生社)というエッセイ集を出した。私はその本の中の「名刺の裏一枚に書ききれないアイデアは、大したアイデアではない」という言葉を非常に気に入っている。

この言葉が意味しているのは、説明するときにレポート用紙を何枚も使う必要のあるアイデアは、たとえ本人がすごいと思っていても、相手にはわかりにくく、大したものではない。それよりも一行、二行で言い切れるアイデアこそ実は素晴らしいアイデアなのだということだ。パッケージもそういう形で作成することが大切だ。

まず仮説思考の結果はっきりした課題を、シンプルに表現する。次にそれを解決するための提言を述べる。以上がプレゼンテーションの核である。

しかしこれだけでは相手が納得しない可能性が高いので、補足する形で、まず何が原因でどんな現象が起きているのかを現状分析として少しくわしく語る。次に解決策の具体的な中身やどのように実行していくかを解説する。これくらい簡単なほうがわかりやすい。

聞き手の立場で再構成する

自分の伝えたいことを相手に理解し、納得してもらうために、プレゼンテーションは行なわれる。これを伝えたいという自分の思いだけ優先していては、よいプレゼンテーションにはならない。

別の言い方をすれば、プレゼンテーションを通じて成し遂げたいことを明確にした上で、そのためには何をどういう順番で話すのがよいのかを逆に考えていくのである。仮説思考の結論から考えるアプローチにきわめて近い。

これをやるには相手の立場に立つ必要がある。自分がこういうプレゼンテーションをしたら相手はどう感じるのか、あるいは相手が自分のプレゼンテーションに一番求めているものは何なのか、こうした仮説を常に頭の中にもちながらプレゼンテーションを構成し、パッケージを作成していく。

たとえばプレゼンテーションで非常に有効な提案を行なっても、相手から人間的に信用できないと思われたりしたら意味がない。いくら正しいことを述べていても、相手に「この人は自分の本当の痛みをわかっていない」と思われているかぎりは、こちらが出した苦言や提言はなかなか受け入れてもらえないからだ。相手から「この人は自分の痛みや苦労、どうしてその問題が解決できないのかを理解した上で、こういう厳しい提言をしてくれているのだ」と思われるところまで踏み込まないと、提案や提言に対する納得を得ることはできない。

つまり、お互いの間に「共感」を生みだすことが必要なのだ。こうした共感は、相手が何に悩んでいるのかを慮《おもんぱか》ることから生まれる。何を本当に悩んでいるかがわからない場合は、仮説の形でよいからそれを前提に組み立てることを勧める。そしてその悩みに応えるためには、どのような言い方や順番がよいのかを考えて組み立てる。もちろん、実際のプレゼンテーションでカバーしていく部分も大きいのだが、あらかじめ頭の中でシミュレーションしてから、パッケージの中身に盛り込む必要がある。

たとえばパッケージの中身そのものが、「あなたの会社のここが悪い」、「ここがだめ」、「ここの戦略が下手」というように、相手のいままでの努力や苦労をすべて否定し、切り捨ててから、「だからあなたの会社はこうするべき」と提案するつくりになっていたら、内容は正しくても、相手は自分が非難されているという気持ちになり、反感を抱くだろう。

そういうストーリーよりも、「あなたの会社はいままでこういう戦略の結果、成功してきた。しかし、時代環境が変わってしまい、いままでのやり方が通用しなくなってしまった。したがって、こう変えたほうがいいのではないか」という言い方をする。これならば、たとえ同じことをいっているとしても相手に受け入れられやすい。

また企業の場合は個人と違って、提案や提言を受け入れて実行することで実際に変革し、成果を上げる必要がある。話の内容や分析結果が正しいこと、あるいは提案が理にかなっていることも非常に大切なのだが、それ以上に提案や提言の内容が、会社の変革や成果に直結することが重要になるのだ。別の言い方をすれば、会社はそういう提案を求めている。したがって、自分が提案している内容が相手にとって実際のアクションにつながりやすいかどうかが、プレゼンテーションにおいて大変重要になる。

提案や提言によって生じる変化や成果をインパクトと呼ぶ。提案や提言を実行することで売上げが上がる、シェアが増える、コストが下がるなどは、非常にわかりやすいインパクトだ。あるいは、組織が活性化することもインパクトのひとつだ。インパクトは会社にとって必要不可欠な要素であることを十分認識し、相手が求めるインパクトに結びつくような提案・提言を行なってほしい。

結論から入るプレゼンのメリットとデメリット

自分の仮説を理解してもらい、かつ納得して腹に落としてもらうためには、どういう順番で語るのがよいかにも注意すべきだろう。結論から語ったほうがよい場合もあれば、証明のプロセスをていねいに説明したほうがよい場合もある。

最初に「結論はこうです」と結論やキーメッセージを伝え、その後「なぜならば」と最初の結論をサポートする理由を重要な順番に並べていくという方法がある。欧米ではほとんどのプレゼンテーションがこの方法で行なわれる。

この方法にはメリットが二つある。ひとつは、「この話はどこに行き着くのだろうか」という、結論に至るまでのイライラを相手に感じさせない。もうひとつは、最初の結論に相手が納得してくれれば、その結論の理由説明を簡略化でき、その結果として時間もセーブできる。そういった利点があるので、コンサルタントはこの方法を使ってプレゼンテーションを行なうことが多い。

ただしプレゼンテーションの相手によっては、この方法が好まれないこともある。たとえば、どうしてそうなるのかということを、AだからB、BだからC、CだからD、だからEと考えていく人に対して、いきなり「答えはEである」といってしまうと、一体AやBはどうなっているのかと引っかかってしまい、プレゼンテーションを聞いていても釈然としない。そういう場合は、あえてEという結論を最初に出さず、順番どおりA、B、C、D、だからEというプレゼンテーションをする。

どんな方法でプレゼンテーションするかは、ケースバイケースだろう。ただし、欧米では、ほとんどの場合、結論を先にいう方法でプレゼンテーションが行なわれており、日本でも結論から入る方法がかなり浸透してきている。結論から入る仮説検証型のプレゼンテーションにもぜひ挑戦して、体得してほしい。

第3章

仮説を立てる

The BCG Way——The Art of Hypothesis-driven Management

1 コンサルタントが仮説を思いつく瞬間

ディスカッションやインタビューから生まれる

少し前にBCGの社内で、「コンサルタントは、どんなときに仮説を思いついているのか」というアンケートをとったことがある。コンサルタントは日常的に仮説思考を使っている、いわば仮説思考のプロフェッショナルだ。そうしたコンサルタントがどのようなタイミングで仮説を思いついているかに興味を覚えたのだ。

図表3—1がその結果だが、最も多かった回答は「ディスカッション中に思いつく」だった。つまり誰かと話しているときに仮説を思いついたという答えだ。ディスカッションには、同僚とのミーティング、顧客とのミーティングがある。この場合は、あらかじめいろいろ考えていたところに、相手の発言に刺激を受けて思いつく、あるいは考えが進化す

◆ 図表3－1　仮説はどこで生まれるか？　コンサルタントに聞いた調査結果

順位	回　答
1位	ディスカッションを通じて （コンサルタント同士、顧客）
2位	インタビュー （顧客、フィールド）
3位	突然ひらめく
4位	じっくり考えているとき

……

仮説の立て方、方法は各人各様。定石はない。

るというのが多く、まったく〝棚からぼたもち〟のように相手から仮説をもらえるケースは少ない。

二番目は、「インタビュー中あるいはインタビュー後に思いつく」だった。顧客へのインタビュー、あるいは顧客のお客様や取引先へのフィールドインタビューを通じてという回答だった。こちらはどちらかというと、机上で考えていたのでは浮かんでこないアイデアが、現場に行くことで思いつくというのが多いようであった。

仮説の立て方には定石はない

三番目は「突然ひらめく」、四番目は「じっくり考えているときに思いつく」という回答だった。

突然ひらめく人の中には、「朝、仕事が始まる前でないとひらめかない」という人や「寝ているときにひらめくので、ベッドサイドにメモ用紙を置いておく」という人もいた。そのほか、「サインペンで紙に書きなぐっているときに、頭が整理されて仮説を思いつく」、「風呂で思いつくので、風呂の壁に論点、課題を書いた紙を貼っておき、何か思いついたら鉛筆で自分の考えを書き留めておく」という人もいた。

筆者自身はこの三番目のタイプで、たとえば電車に乗っていて新聞や本を読んでいるときに、あるいはただつり革にぶら下がっているときに突然思いつくことが多い。もちろん、自分だけでは考えが煮詰まってしまったときに、誰かとディスカッションすることで仮説が生まれたり、進化することもある。

反対に、「じっくり考えているときに思いつく」というように、システマティックに仮説を立てる人もいる。最初に書籍や議論を通じて情報を頭に詰め込み、その後ひとりで静かな時間をつくり、頭の中に入っているヒントや思いつきを書きだしていく。次にそれを構造化し、整理し、そして最後にストーリーや絵（イメージ）にして一枚の紙に仮説を書き表し、冷静にチェックする。

このように仮説の立て方は人それぞれで定石はない。仮説構築にはさまざまな方法がある。ここでは、分析結果から仮説を立てる方法、インタビューから仮説を立てる方法、そして、ヒラメキの三つを紹介する。

2 分析結果から仮説を立てる

事例 清涼飲料市場のグラフを読み込む

まずは分析結果から仮説を立てる方法だ。これは、すでにある分析結果を見て仮説を立てるやり方だ。仮説を立てるに当たり、あらためて何らかの分析を行なうわけではない。仮説検証の項でも述べるが、分析は本来、仮説検証のために使うものだ。

ただし、分析結果から仮説を立てることもできる。まぎらわしいので、ここで整理しておくが、一般の人が問題解決に当たり九割を分析に頼るのに対し、仮説思考型の人では二割程度しか頼らない。むしろ、分析に着手する前に仮説を立て、深掘りすべき分野をしぼった上で、そこについて分析を行ない、仮説の検証・進化につなげていくのだ。

それでは分析結果から仮説を立てる例を具体的に見ていこう。

◆ 図表3−2　日本における清涼飲料市場拡大・多様化の変遷

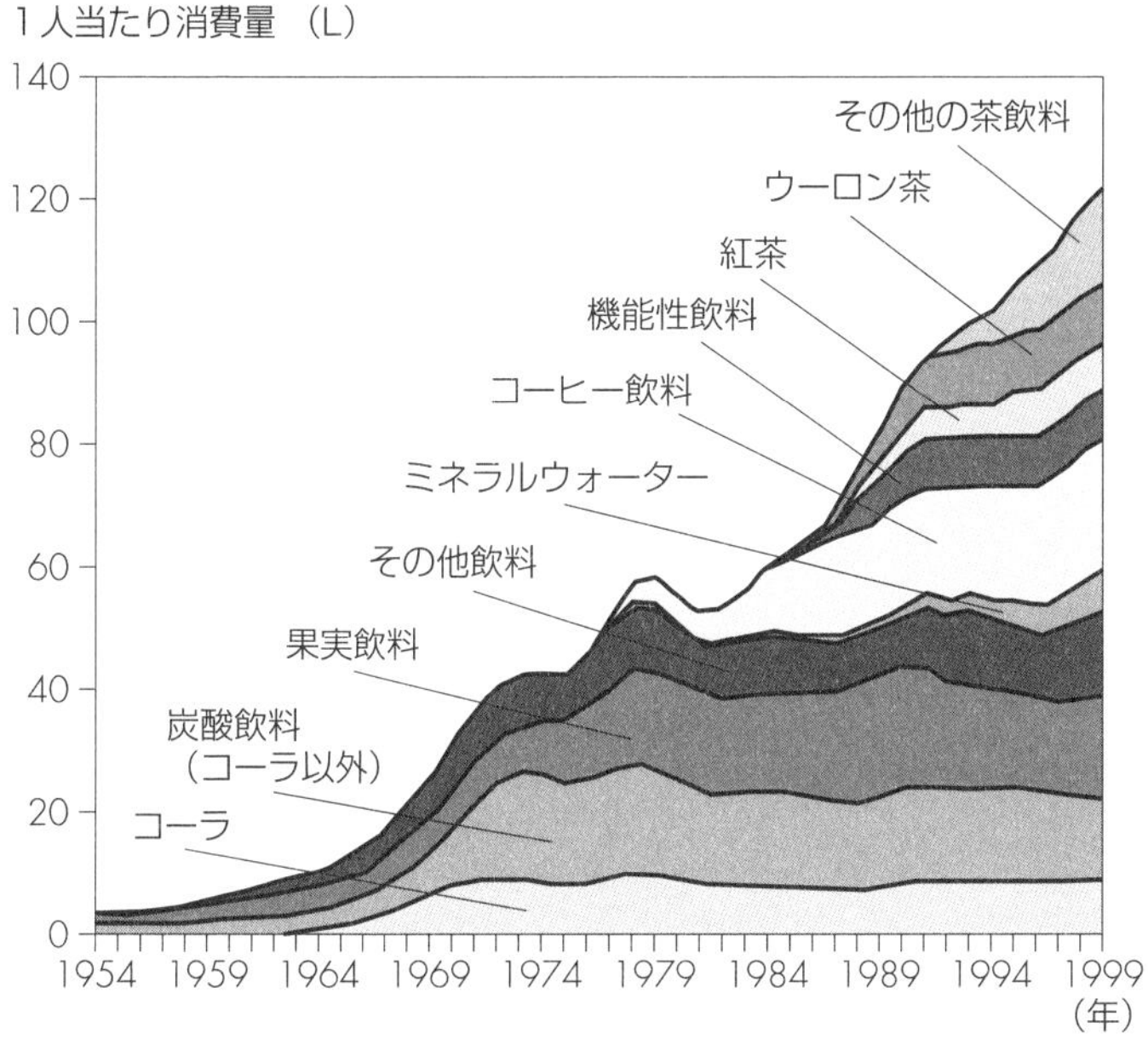

出所：全国清涼飲料工業会「清涼飲料関係統計資料」、BCG分析

図表3―2は、日本における清涼飲料市場についてのグラフで、一九九九年までの日本の清涼飲料市場がどのように拡大、多様化してきたかを表している。

ここからどのような仮説が立てられるだろうか。

たとえば一人当たりの消費量を見ると、一九六〇年代後半から急激に増加していること、さらに一九九〇年くらいから再び急激に増加していること、つまり二回にわたって増加していることがわかる。

このデータと自分自身の知識・体験や想像から二回目の消費量増加の理由について、いくつかの仮説が立てられるだろう。

ひとつには、それまでの清涼飲料水は炭酸飲料や果実飲料など甘いものが多かったが、一九八〇年代半ば以降は機能性飲料、あるいはウーロン茶やミネラルウォーターなどの消費が増加している。つまり、日本人の健康志向の高まりと合わせて、糖分の入っていない飲料の消費が伸び、飲料市場の拡大を引き起こしたのではないかという仮説が立てられる。あるいは、かつて飲料の容器は瓶や缶が主流だったが、もち運びに便利なペットボトルの登場によって、清涼飲料の飲み方が変化したとも考えられる。ペットボトルなら歩きながら飲んだり、水筒代わりに利用することもできる。その利便性から清涼飲料の需要が増加したという仮説も考えられる。

その他、清涼飲料の販売チャネルが変化したという仮説も立てられる。かつて飲料は食料品店やスーパーマーケット、あるいは酒屋で購入していたが、自動販売機の登場とともに、路上、駅、オフィスなど、どこでも手軽に飲料を買うことができるようになった。その手軽さが清涼飲料の需要を加速させた可能性も考えられる。その一方で、自動販売機で売られているペットボトルは少ないから、コンビニエンスストアの発展がペットボトルの売上げを増加させた可能性も同時に考えられる。

もちろん日本人の健康志向や安全志向が高まってきたことも考えられる。以前、水道水は無料かつ安全な水だと思われていたが、現在では水道水には消毒のための塩素も入っているし、不純物が入っているのではないかと疑う人も多くなった。そうした状況の中で、ミネラルウォーターが健康にいいという情報が広まり、ミネラルウォーターの需要が拡大している可能性もある。

つまり、分析結果から仮説を立てるということは、このような仮説をグラフからどのくらい読みとれるかということになる。

分析結果から将来についての仮説を立てることも可能だ。

たとえば日本人の健康志向がより強まれば、機能性飲料の消費がもっと伸びるのではないか、あるいは安全志向がより強まれば水道水が飲まれなくなり、日本ではあまり売れていないミネラルウォーターの需要が拡大するかもしれないという仮説が立てられる。企業にとっては、将来に向けた商品開発や、今後の戦略につながる重要な仮説となる。

事例　日本の自動車市場のグラフを読み込む

分析結果から仮説を立てるもうひとつの例として、日本の自動車市場を見てみよう。図

◆ 図表3−3　日本の自動車市場 バリューチェーン別シェア推定(2003年度)

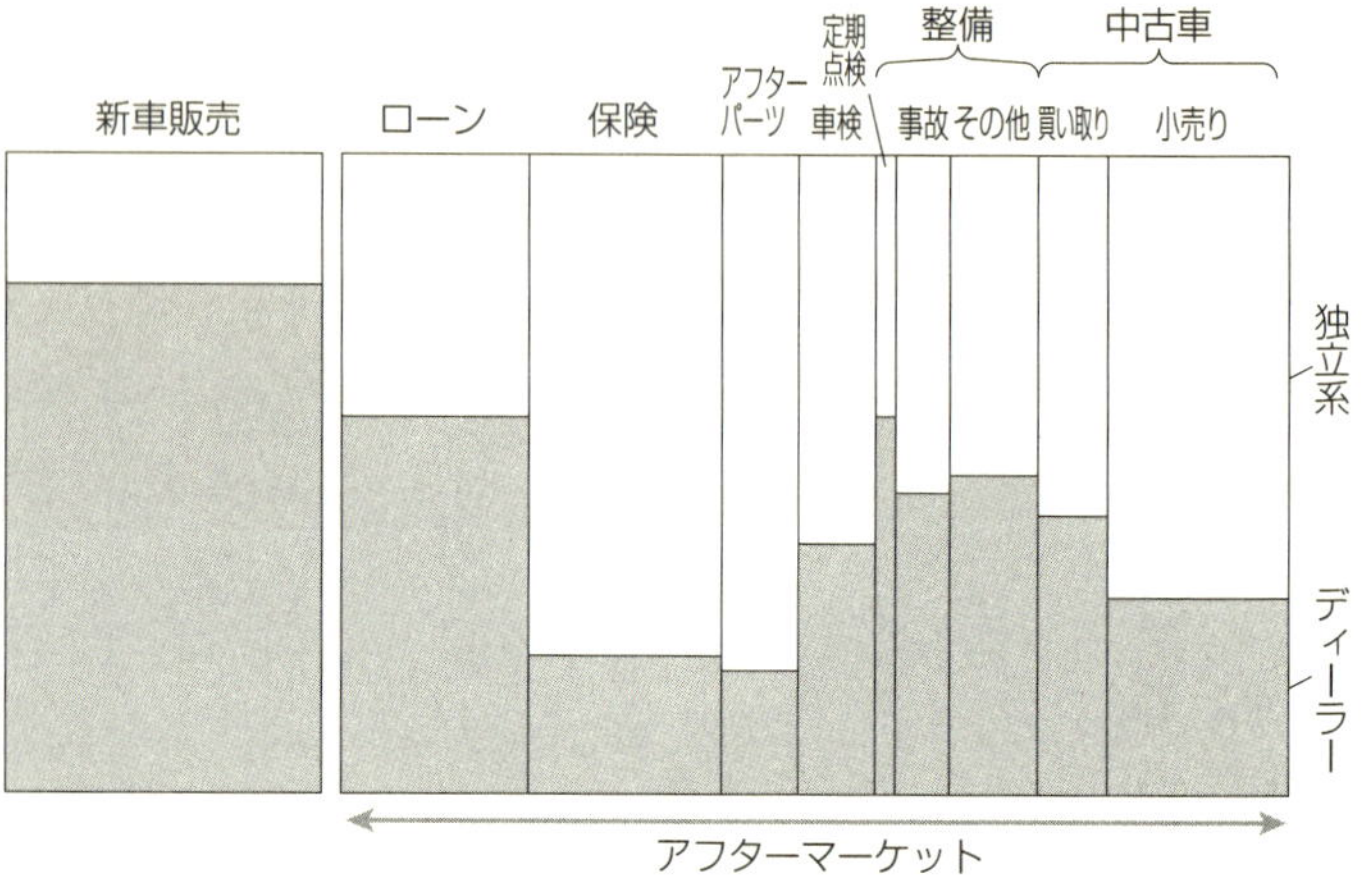

出所：BCG分析

表3—3は、日本の自動車市場のバリューチェーン別のディーラーと独立系企業の推定シェアを示している。全体で二〇〇三年度で約三〇兆円規模のマーケットだ。そのうち新車販売が三分の一を占め、残りの三分の二は、ローン、保険、アフターパーツ、車検、中古車などで、これらをアフターマーケットと総称する。

さて、このグラフからどのような仮説が立てられるだろうか。

自動車業界についてある程度の知識・経験があれば、いくつかの仮説を立てることができるだろう。

たとえば、現在、ディーラーが儲からずに苦労しているが、アフターマーケットに関しては独立系という、自動車メーカーとは関係のない企業が多く参入していることがわかる。

すなわち独立系の企業は、アフターマーケットで多くの利益を上げているのではないかと考えられる。したがってアフターマーケットで利益を上げられないのは、自動車メーカーの戦略に問題があるのではないか、だから独立系の企業が利益を上げ、ディーラーが儲かっていないのではないかという仮説が立てられる。

あるいは、現在日本では新車の販売台数が減少し、ピーク時には約六〇〇万台売れていた小型普通乗用車が、いまでは三分の二の四〇〇万台程度しか売れなくなっている。ところが街中を走っている車の数は減少しているようには感じられない。そこで新車販売のマーケットに比べ、中古車販売のマーケットのほうがより成長しているのではないかという仮説も立てられる。

このように、分析結果と自分の知識・経験を組み合わせることによって仮説を立てることができる。

3 インタビューから仮説を立てる

次に紹介するのはインタビューから仮説を立てる方法だ。

事例 消費財メーカーの売上げを伸ばす

ここでは、コンサルタントが顧客の消費財メーカーから「よい製品を出しているにもかかわらず、売上げが伸びないので、その原因を調べて戦略の提案をしてほしい」という依頼を受けたとする。そこで顧客にインタビューした結果、以下のことがわかったとしよう。

「消費者が以前よりモノを買わなくなった気がする」
「競争相手から出ている製品は以前と変わらない」
→すなわち競合他社から新製品が出て、顧客が負けているわけではない
「コンビニエンスストアでの売上げが増えている」

↓すなわち全体的な売上げは減少しているが、コンビニエンスストアにおける売上げだけは拡大している

「流通段階で価格競争が激化している」

↓すなわち小売店や卸で価格競争が激化し、安売り店ほど商品が売れている

「製品に自信があるので値下げしていない」

聞きだしたところから仮説を立てる

これらの結果から、「よい製品を出しているにもかかわらず、売上げが伸びない原因」について、以下のような仮説が立てられる。

仮説① 消費者の嗜好が他ジャンルに移っている

顧客は自社の製品の売上げだけを見て、消費者がモノを買わなくなったと考えているが、消費者の財布の中身が変わらないとすれば、他のモノにカネを消費し、顧客の製品の購入に使われるカネが減っているのではないか、という仮説が立てられる。

たとえば女子高生に携帯電話が流行した時代には、二万〜三万円程度のお小遣いのうち

の一万〜一万五千円を携帯電話に使ってしまうことがあった。すると、それまでお小遣いを使っていた衣類、プリクラ、CDなどにカネを使うことができず、それらの売上げが落ちるという現象が実際に起きた。

仮説② 末端で価格競争が起きていて、安い商品に需要が流れている

価格競争が起きた結果、消費者がより安いモノを買うようになっているのではないかという仮説である。もちろん安ければ商品が売れるというわけではない。ブランド品などは高いことが価値となる場合もあるから、必ずしも安い商品に需要が移るわけではないが、この商品の場合、そのような現象が起きているのではないかと考えられる。

仮説③ 口コミで他社製品に人気が集まっている

他社から出ている製品は変わっていないが、テレビや雑誌で紹介されたり、インターネットで評判になったりと、口コミによって人気が広まり、他社製品のほうに売上げがシフトしているのではないかという仮説だ。

仮説④　競争相手が流通マージンを増している

競争相手は商品の末端価格は下げていないけれども、流通マージンを増やしているのではないかとも考えられる。一般に、大衆薬や化粧品など店頭で店員が推奨販売する商品、つまり来店した消費者のニーズを聞きながら、「お客様にはこの商品がいいですよ」と勧めるような商品の場合、この仮説が当てはまる。

たとえば薬局に行き、「風邪をひいたようで頭痛がするのですが、よい薬はないでしょうか」と店員に尋ねると、「熱はありますか」と聞き返される。「熱はないです」と答えると、「喉は痛いですか」とさらに質問され、「喉は痛いです」と答えると、「それならばこの薬がいいですよ」とある薬を推奨してくれる。

そのとき、店員は消費者のニーズに合った商品を提供するのだが、その一方で自分の店の利幅が高い商品を推奨する。つまり大衆薬は効能もさることながら、小売店の利幅が大きい商品が多く売れる傾向にある。

仮説⑤　チャネルのシフトが起きている

消費者が商品を購入する場所が、百貨店・スーパーからコンビニエンスストア、ディスカウンターにシフトしているという仮説だ。

キリンビールとアサヒビールの販売競争の例でこの仮説を説明しよう。キリンビールは酒屋というチャネルが強力であるがゆえ、酒屋と敵対関係にあるコンビニエンスストアをあまり重要視していなかった。ところが消費者は、ビールを買うときに酒屋に注文して届けてもらうのは面倒だから、コンビニエンスストアで飲みたい分だけ買うという購入方法に移行した。消費者がコンビニエンスストアでビールを買うようになるにつれ、キリンビールの相対的なシェアは下がった。アサヒビールがコンビニチャネルを強化したからだ。

このように消費者がモノを買う場所が変わり、そこが自社の弱いチャネルだった場合には、販売の施策とかマーケティングがまったく変わらなくても売上げが下がる可能性がある。インタビュー結果の中に、「コンビニチャネルの売上げだけ伸びている」という話があったが、顧客のコンビニチャネルが弱いとすると、全体的な売上げも下がる。反対にコンビニチャネルが主力なチャネルだった場合、コンビニでの売上げが伸びているなら、全体的な売上げもより伸びるはずなので、この仮説は間違っている可能性が高くなる。

このように、インタビューの結果からも仮説を立てることができる。ただ、この方法で重要なのは、いかにきちんとしたインタビューを行なえるかである。そこで効果的なインタビューのポイントについて、次項で簡単に解説しておく。

4 仮説構築のためのインタビュー技術

まず、インタビューの目的を定める

仮説を構築するに当たり、インタビューがたいへん有効な方法であることは前述したとおりである。そこで、ここではインタビューの具体的な技術について話をしたい。

インタビューを行なう場合、まずは目的をきちんと理解することだ。一般的には、次のような目的でインタビューは行なわれる。

目的① 業界・業務を理解する

コンサルタントの場合、顧客について知らなければ会話にもならないので、顧客の業務内容を理解したり、あるいはどういった業界であるかを理解するためにインタビューを使う。一般のビジネスパーソンにとっても、新規市場や新規事業、新しいチャネルに参入する場合などに同様の目的でインタビューを行なうことがあるだろう。

こういう情報を入手するために書籍を読んだりもするが、やはり実際に働いている人から直接情報を得るほうがわかりやすく、実態を正確に把握できるので、業界や業務に関する情報を得るためのインタビューは重要になる。

目的② 問題を発見・整理する

コンサルタントの場合、顧客の経営課題は何かを調べるためにインタビューを行なう。経営問題が何であるか理解している場合は、それを聞いて整理すればいいのだが、大抵の場合はそうではない。そこでインタビューによって問題を発見し、整理していくことが大切だ。一般のビジネスパーソンの場合も、自社やグループ企業の経営課題を把握するためにこの種のインタビューを行なうことがあるはずだ。

目的③ 仮説を構築・検証する

問題が整理されれば、なぜその問題が起きているのか、あるいはどうしたらその問題を解決できるのかという仮説を立てる。よい仮説をつくっていく、あるいはつくった仮説が本当に正しいか検証していくためにインタビューを利用する。

フィールドインタビューは宝の山

社内で行なうインタビュー、あるいは顧客や取引先に対するインタビューなど、現場で行なうインタビューをフィールドインタビューと呼ぶ。

フィールドインタビューで現場の現状や実態を把握することは、問題を発見し、それを効果的に解決していくための土台となる。そういう意味でフィールドインタビューは宝の山といえる。フィールドインタビューの重要性、有効性を認識し、机に向かって悩む前に現場に出かけ、そこで何が起こっているのかを知ろうとする姿勢がたいへん重要だ。

深く掘り下げた質問ができるかがカギ

質問は深く掘り下げていく必要がある。仮説を立てるためにも、仮説を進化させるためにもこれはとても重要なことだ。

具体的な例で説明しよう。たとえばインタビュー相手に「わが社のA商品はシェアが高くて好評だ」といわれたとき、「そうですか」と頷《うなず》きながら「A商品はシェアが高い」とメモをして、すぐに次の話題に移ってしまってはいけない。

その場合には「A商品はなぜシェアが高いのですか」と二の矢を放つべきだ。そして相手が「A商品の商品力が優れているからだ」と答えても、そこで終了せず、「どういう点で商品力が優れているのですか」と一段掘り下げて質問する。そしてそれまではスムーズに答えていた相手が、「競合商品に比べてどこが優れているのか」と考え始めれば、インタビューが深くなってきた証拠だ。

相手がいろいろと考えた上で、「A商品は多機能だから消費者に支持されている」とか、「うちの商品のよさはデザインが優れていることだ」などと答えてくれれば、A商品の商品力の決め手についてわかってくる。つまり、相手が商品力の決め手だと考えているものは一体何かというところまで聞いて初めて、質問の深掘りができたことになる。

インタビューで大切なことは相手の本音を引きだすことだ。そのためにはいきなり核心をつく質問をし、相手をグッと詰まらせることも必要だ。

たとえば商品開発の担当者が、自分の会社の商品が売れないのはコマーシャルや宣伝が下手だからとか、営業が怠けているからと考えているとする。その担当者に、「商品力がないから売れないのではないでしょうか」という質問をし、さらに「状況からはそう見えますが、それについてはどう思われますか」という厳しい質問をしてみると、担当者はその質問に本音で答えてくれる。

インタビューは和やかに話を進めるだけではいけない。ときには相手の嫌がる質問も必要になる。「新製品はマーケティングに失敗してうまくいかなかった」という話を聞いたときは、製品そのものが失敗だったのか、広告やプロモーションで失敗したのか、チャネル政策を誤ったのか、それとも価格のつけ方が悪かったのかというところまで踏み込んで質問する必要がある。

もちろん一歩間違うと相手を怒らせることになる。相手のプライドを傷つけないように注意を払うべきだ。たとえば、「あなたは間違っているから私が教えてあげよう」というふうに話を進めると、相手は確実に怒る。相手に自分から気づいてもらう、あるいは勘違いしていたかもしれないと思ってもらうような質問の仕方をする。それは決して難しいことではない。相手に敬意をはらっていれば、自然とそういう言い方、話の進め方ができるはずだ。それに、そういう核心をつく質問をすることによって、相手が自分の問題の本質に気づいたり、答えのヒントを手に入れたりすることも考えられる。

質問の進化が仮説の進化につながる

A事業部、B事業部、C事業部のそれぞれでインタビューを行なわなくてはならない場合がある。もちろんあらかじめ質問の雛形は用意しておくのだが、不慣れなインタビュアーは雛形の質問を最初から最後まで変えず、A事業部、B事業部、C事業部に同じ質問をする。これでは返ってくる答えも似たようなものになってしまう。

それに対してインタビューのうまい人は、最初にA事業部にインタビューを行ない、その結果、「この質問は自明の理だからもう聞く必要はない」と思えば、B事業部、C事業部には、その質問はしない。逆にA事業部にインタビューした質問の中で、「これはもう少し深く掘り下げて質問しないと本当の答えは得られない」と思うものがあれば、B事業部、C事業部には追加の質問を用意して出かける。そして次にB事業部でインタビューし、また違う結果がでたら、C事業部にはA事業部ともB事業部とも違う質問を用意してインタビューする。

つまり、インタビューが一件終わるたびに結果を咀嚼《そしゃく》し、インタビューの目的と照らし合わせながら、質問の内容を変えたほうがいいかどうかを考え、次のインタビューにのぞむのだ。よいインタビューをするためには、このように質問を進化させていくことが必要だ。

　そしてインタビューの最中でも、あらかじめ決められた質問を順番に聞いていくのではなく、相手の出方や答えに応じて臨機応変に質問の内容を変えていくことが重要だ。

　こうした態度で事実に迫ることができれば、筋のよい仮説が立てやすくなる。また、ときにはインタビュー中に自分の仮説をぶつけてみることで仮説を検証し、仮説を進化させることもできる。

インタビューメモをつくる

　インタビューメモをつくる目的は三つある。それは、①自分の頭を整理するため、②インタビューで得たことを他人とシェアするため、③プレゼン資料を作成するときのベースにするため、だ。目的によってメモ作成のポイントは異なる。

目的1　自分の頭を整理するために

　自分の頭を整理するためには、まずメモを構造化する。インタビューしたときに取ったメモは、聞いたことを順番にメモするため時間軸に沿ったものになっている。ただし相手の話はインタビュー中、行ったり来たりするから、メモは話の内容ごとにひとかたまりになっているわけではない。

そこでメモの構造化を行なう。たとえば問題の現象が語られている部分、原因が語られている部分、解決策の可能性について語られている部分など、話の内容ごとに構造化したり、あるいは営業、開発、人事など、インタビューした相手の業務内容によって構造化したりする。メモを構造化することで、どんな内容の話かがわかるように整理する。

仮説の検証結果があれば、それも書いておく。

検証プロセスまで進んだ段階で行なうインタビューは、こちらから強い仮説をもってのぞむことが多く、その場合にはインタビューの中で、その仮説が本当に現場で当てはまるのか、あるいは経営トップから見てその仮説は納得できるかということを相手に判断してもらい、仮説が正しいかどうかを検証する。そういうインタビューのメモには、自分の仮説が相手に受け入れられたのか、拒絶されたのか、あるいはおおむね受け入れられたけれど、いくつかの問題点を指摘されたなど、仮説の検証結果を細かく書いておく。

目的2　他人と情報をシェアするために

他人と情報をシェアするには、メモの内容を客観と主観に区別する必要がある。自分の思いや考えは主観、インタビューした相手の話は客観なので、相手が述べたことなのか、あるいは自分が考えたことなのかを明確に区別する。

目的3　プレゼン資料のベースとするために

資料のベースとして使うインタビューメモは、定量化を心がける。たとえば、相手が、「新製品を出したら売上げが伸びた」、「シェアが増した」という話をしたら、〇パーセント伸びたか、〇円伸びたか、〇個伸びたかを具体的に聞き、定量化する。定量化された情報がなければ、「売上げが伸びた」、「シェアが増えた」とメモしても、「一パーセントの伸び」か「五〇パーセントの伸び」かによって天と地ほどの差が生じ、あまり役立つメモにはならない。

以上のようなインタビュー方法を身につけると、相手の本音や事実に迫ることができる。それが仮説を構築するための有力な手がかりとなるのだ。

5 仮説を立てるための頭の使い方

「ヒラメキ」を意図的に生む

仮説の立て方で最後に焦点を当てるのは、ヒラメキである。なぜ、ひらめくか。それは個々人で違いがあるだろう。そこで、ここではひらめくための頭の使い方、すなわち脳に揺さぶりをかけるコツをいくつか紹介することにしよう。

人は誰でも知らず知らずのうちに決まったモノの見方をしている。自分の得意なものの見方で思考してしまう。それが新しい仮説を生みだす阻害要因になることがある。そこで意識的に頭の使い方を変えるのだ。するといままで見えていなかったものが見え、仮説がひらめくようになる。

頭の使い方を変えるとは、一言でいえば普段より幅広く使うことに尽きる。幅広く考える方法として、ここでは①反対側から見る、②両極端に振って考える、③ゼロベースで考える、の三つを紹介しておく。

方法1　反対側から見る

最初に「反対側から見る」について説明しよう。反対側から見るには、①顧客・消費者の視点をもつ、②現場の視点で考える、③競争相手の視点で考える、の三つの思考法がある。

①　顧客・消費者の視点をもつ

自分がモノを売ることを考える前に、ユーザーはどんな人であり、どこでなぜ自社の商品を購入しているのか、使っているのかを考えてみる。ひとりのユーザーになりきり、ユーザーは本当は何を感じているのかを理解することで、新しい仮説が生まれてくる。

一例として、自社のビジネスが携帯電話の普及でどう変わるかを考えてみてほしい。その場合のポイントは、携帯を使うことで自社のビジネスがどんなふうに変えられるかではなく、消費者が携帯を使いこなすことで自社のビジネスがどう変わるのかを考えることである。一見言葉の遊びのようだが、大きな違いがある。

たとえばレンタルビデオのカルチュア・コンビニエンス・クラブ（ＣＣＣ）では、これまで販売促進にハガキを使ったダイレクトメールを送っていたが、現在では携帯電話のメールをハガキ代わりによく使っている。理由は、もちろん一通五〇円以上かかるハガキに比べてただ同然ですむメールのほうがコストが安いことが挙げられる。これは、自社にとって携帯を使うことのメリット、すなわち前者の考え方である。一方で、後者の見方をすれば、従来の方式では、ハガキがいくらレンタル無料券や割引券になっていても、実際に店に行くときに忘れないように持っていくのは意外に面倒くさいものだ。あるいは、時間があるときにたまたまビデオ屋に行く場合には、ハガキは持ってきていないことも多い。それに対して、携帯電話に送ったメールをクーポン代わりにすれば、昨今財布は忘れても携帯電話は忘れない若者たちのこと、便利この上ない。

こうした消費者側の発想をもたずに企業側の論理だけで進めたビジネスは、失敗する確率が高い。ＮＴＴのＩＣテレフォンカードが典型例である。ＮＴＴでは従来の磁気式テレフォンカード（通称テレカ）が偽造問題などでトラブルを起こしたために、ＩＣテレフォンカードを導入して、従来型を置き換えようとした。しかしユーザーから見れば、新型テレフォンカードは従来型に比べて何のプラスアルファの機能もない上に、普及台数が少なすぎて使える電話機が限られてしまう。これではうまくいくわけがない。これに比べるとＪＲ東日本のＳｕｉｃａは、従来の磁気式のイオカードに比べて、追加でチャージができる、定期券との併用が可能、定期を万が一なくした場合でも再発行してもらえるなど、明確に利便性が向上している。

② 現場の視点で考える

本社のデスクにしがみついているのではなく、現場の視点で考えるために、実際に現場に行って、具体的な事実を経験し観察してみよう。そうすることで新しい仮説が生まれてくる。

たとえば小売業で、何の変哲もなく日々当たり前のことをきちんとやっているだけで確実に売上げの上がっている店と、見かけ上は華やかで頻繁に売り場の変更をやって、次々に新しい商品を並べているのに売上げの上がらない店がある。これも現場に行ってみればわかるのだが、日用品であればあるほど毎日売り場が変わったら困るわけで、いつもの売り場に自分の欲しい商品が確実にあるほうがありがたい。これが本社や企画部門にいると、つい何か新しい手を打って売上げを増やしたいと短絡的に考えてしまう。もちろんたまには新商品を入れて新鮮味を出さないと消費者に飽きられてしまうわけだが、これもファッションのように常に新しいものでないといけないものと、加工食品のように圧倒的に定番商品の売上げが多いものでは、話が異なる。こうしたことは本社でコンピューターから打ちだされたデータだけ見ていても、なかなかわからないものであり、実際現場に行って新しい発想を得るか、少なくとも現場に想いを馳せて考えてみる必要がある。

また別の例を挙げると、以前コンサルティングをしたある企業では、支店や営業所の営業現場は本社を自分たちの仕事の邪魔をする存在だと信じ切っていた。というのも、毎日のようにあれをやれこれをやれの指示は降ってくるし、このデータをよこせ、資料をつくれと業務を増やすばかりだからだ。その割に実際に現場の売上げが上がるようなことは何ひとつやってくれない。

一方で本社の方は、自分たちが一所懸命考えたことを現場が実行すればうまくいくのに、なぜ彼らは指示にしたがわないのかと嘆いていた。これを解決するひとつの方法は、本社は現場の仕事やオペレーションがスムーズに進むためのサポート部隊だと割り切ることだ。そこで、この企業の場合は、いま行なわれている本社と現場のやりとりをすべて見直した。本社の施策の立て方を上から下に降ろす形でなく、本社の主要業務を現場に役立つことだけに絞り込み、本社が現場から報告を求めることは最低限にすることで、現場の士気が上がり、業績が大いに改善された。

③ 競争相手の視点で考える

もし自分が競争相手の社員だったら、我が社をどのように見ているだろうと考えてみることは、とても有効な思考方法である。

競合企業は、我が社の一番弱点と思われているところを突いてくるかもしれない。そうだとすれば、その弱点を補強することを考えるか、あるいはそれを攻撃された場合に備えて、相手に反撃を加えるシナリオを用意する必要がある。たとえば、デルコンピュータがBTO（Build to Order）という方法で直販を始めたときに、コンパックやIBMのような既存の戦い方で強い企業はどうすればよいか。従来の見込み生産モデルの強化で対抗するのか、あるいは、自分たちもデルと同じ直販モデルを採用したほうがよいのか、考えてみる。

逆に、競合企業は我が社の強いところに正面攻撃を加えてくるかもしれない。その場合はどんな手だてがあるのか、考えておく。たとえば、自社が製品力に強みがある場合には、それをやっつけるために同じ土俵での新製品開発を仕掛けてくるのか、それとも違う切り口での新製品開発で仕掛けてくるか考えてみる。前者の例は、トヨタがベンツに対抗してレクサスを開発したケースが当てはまるし、後者の例ではキリンビールの牙城にアサヒビールがラガービールとは異なるドライビールという分野を生みだすことで勝負していった例が挙げられる。

また、こちらが意識するほど相手は自社のことを気にしていないといったケースも考えられる。この場合は一見肩すかしを食った気がするかもしれないが、実はこちらの戦略的打ち手に対して、相手がそれを無視したり、気づかない可能性があるということで、大変なチャンスなのである。一方で、相手はトップメーカーだから、我が社の新しい製品のことは気にしないだろうと思っていても、実は日ごろから我が社をウォッチしていて、何かあれば叩きにくる覚悟でいるかもしれない。その場合はうかつに競争を仕掛けるべきではないということになる。どちらもあり得るシナリオ、すなわち仮説である。

自社では当たり前と思っていることが、競争相手から見るとうらやましい経営資源に見えるかもしれない。特にブランドなどはこうしたケースが多い。となれば、いままではまだ当たり前すぎて特に脚光を浴びていなかった経営資源や強みに立脚した戦略を考えてみる価値はある。

コンサルティングの事例から

さらにここでは、反対側から見ることで顧客に価値を提供できたコンサルティングの事例を紹介しておこう。

以前われわれがコンサルティングを実施した、高額の機械を製造販売する会社は、どこでもよく見られるように本社、とりわけ機械の開発をしている部門が最も力をもっており、その次に機械を実際に顧客に販売している販売部門に力があった。そしていったん販売してしまった機械のメンテナンスは子会社に任されており、その地位はきわめて低かった。ところが、実際に顧客の購買動向や満たされていないニーズをよく調べてみると、メンテナンスサービスを行なっている人々が最も顧客ニーズをよく把握しており、そこに最大の事業機会があることも判明した。そこでわれわれは、バリューチェーン（価値が顧客にどのように伝わっていくかを現したもの。価値連鎖とも呼ぶ）の川上から川下に流れる従来の発想ではなく、川下すなわち顧客接点を中心としたビジネスの仕組みをつくるように提案した。これまで会社の中で一番下に見られていた業務を最も上にもってこいというように等しい提案だったため、最初は大変な抵抗があった。しかし、商品差別化から得られる追加の収入より、メンテナンスレベルで得られるサービス収入のほうがはるかに利益額が大きいことを理解したその企業では、いまでは昔と違ってバリューチェーンを下からさかのぼるビジネスの進め方をして成功している。

同様なことはあなたの所属している企業や業界でも簡単に行なえるはずだ。もし読者の企業がメーカーや素材メーカーであれば、通常は自分たちの製品を誰にどのように売るべきか、あるいは少しでも高く買ってもらうにはどうしたらよいかに腐心しているはずだ。そこで立場を変えて、自分たちの製品を買ってさらに製品をつくるメーカーの立場や、あるいはそれを仕入れて販売する流通業者の立場に自分をおいて、その視点で見てみることを勧める。小売店の立場で見てみれば、自社製品は品質はよいのに価格が高いから売れにくい、売りたくないと思っているかもしれない。あるいは、いつも品切れが多く消費者に迷惑がかかるので積極的に売っていないのかもしれない。または、競争相手と比較して特によいところは何もないのだけれど、昔からの取引だからという理由だけで扱っていてくれるのかもしれない。

あるいは自分が総務部門の人間で、いつも営業や生産といった現場の人たちから文句をいわれたり、迷惑をかけられたりしているとしたら、一度そちらの立場に身を置いてみて問題を考えてみることを勧める。ものの見え方が違ってくるはずだ。慣れないうちは、実際にそちらの仕事を経験したり、あるいは相手の話を直接聞いたりしないと学べないことが、徐々に想像するだけで答えが浮かぶようになってくる。

方法2　両極端に振って考える

もうひとつが「反対まで振る」という考え方だ。これは両極端に振って考えるともいえる。先述した『戦争論』の著者クラウゼヴィッツは、先の読めない霧の中を見通すためには、「物事を両極端に振って考えることだ」といっている。たとえば、「戦争」の代わりに「平和」を追求したらどうなるのか、「攻撃」の代わりに「防御」を徹底的にやるとどうなるかといった思考法である。両極端に振って考えることによって、物事の本質が見えてくるのだ。「両極端」を探求することによって、無数の事象や関係の中から、何が最も重要で決定的なことかを識別するスキルを磨くことができる。

具体的な例を紹介しよう。デフレ時代というと誰も自社の製品の値下げを考える。値下げすべきか、すべきでないか。あるいはすべきだとしたら、どれくらい下げるべきか。しかし、こうした時代だからこそ、逆に自社製品を値上げしたらどうなるかを考える。

たとえば、五〇〇枚三〇〇円で売っていたコピー用紙を四〇〇円に値上げしたとすると、多分、まったく売れなくなるだろう。コピー用紙のようなものは、ブランド的なイメージもほとんどないし、特別な用途でないかぎり紙の質にこだわる人もいない。このように価格ですべてが決まってしまう商品をコモディティー商品と呼ぶが、この場合には需要に対する価格弾力性がきわめて高い。つまり、自社製品は価格が理由で買われている可能性が高い。そうなると、たとえ苦しくても競争相手に合わせるところまで値下げせざるをえない。

一方、高級ブランドのルイ・ヴィトンのバッグを考えてみよう。いままで九万円で売っていたものを一〇万円に値上げしたとしよう。それで売上げが落ちるだろうか。多分大して変わらないだろう。では値下げして、八万円にしたらどうだろうか。一時的に売上げは増えるかもしれないが、中期的に見ると値下げが消費者に対して悪い印象を与えかねない。「人気が落ちたのか」、「流行遅れになったのか」という印象を与え、売上げが伸びるどころか、反対に減ってしまう危険性が高いのではないか。

このように一方向だけでものを考えるのではなく、逆サイドにあえて思考を振ることで、自社が扱っている商品やサービスが、なぜ顧客に支持されているかが浮かび上がってくる。支持されている理由が、機能やコスト以外の要素、たとえばブランドだったり、アフターサービスだったり、長期的な安定供給だったり、確実な納期だったりすれば、実はデフレ時代といっても、そんなに大きく価格を下げる必要はないはずである。

方法3　ゼロベースで考える

最後に紹介するのがゼロベースで考えるという方法だ。既存の枠組みにとらわれず、目的に対して白紙の段階から考えようとする姿勢のことだ。既存の枠組みで考えると、過去の事例やさまざまな規制などの存在により思考の幅が狭くなり、目的に対する最適な方法に到達するのが難しくなる。そのため、「ゼロベース思考」で考えようとする姿勢が、仮説を立てるときには特に重要だ。

たとえばあなたが顧客からの苦情を取り扱うコールセンターの運営を任されているとしよう。会社の方針で、現在一〇〇人でやっている仕事を、「人数を二割減らせ」、あるいは「コストを二割カットせよ」と命令された場合、誰でもいろいろな方法を思いつくことができる。仕事をマニュアル化して効率化し、一件当たりのクレーム処理時間を二割短くてすむようにするとか、クレームの電話がかかってくる時間を詳細に分析することで、必要な社員数をミニマムにするとか、仕事を外注化して安くするとか、いろいろ出てくるであろう。

ところが、「現在の半分の人員で行なえ」とか、「七割削減しろ」と命令されたらどうであろうか。先に挙げたような効率化では限界がある。それよりまったく異なる発想を求められる。たとえば、クレームが発生するから自分のところの仕事が必要なのであって、クレームがゼロすなわちまったく発生しなければ、自分たちの仕事はなくなる。そうすれば、七割削減どころか一〇〇%のコストダウンが可能ということになる。そこで、クレームの発生理由を分析して、それが工場の品質管理にあるのであれば、生産管理や品質管理を徹底する。あるいは説明書がわかりにくいために質問が多いのであれば、取扱説明書をつくり直してもらうことでクレームを根本から絶つ。もちろん、ゼロにはならないにしても、クレームが大幅に減れば、コールセンターのコストダウンにつながることは間違いない。

一方、どうしても仕事はなくせないがコストは下げなくてはならないとすれば、コストを限りなくゼロにすることを考えてみる。コールセンターでもっとも大きなコストになっているのは人件費であるから、それを大幅に削減するために、人件費が一〇分の一から二〇分の一ですむ中国にコールセンターを設けて、コストダウンをはかるといったアイデアもでてくるかもしれない。

このように現状をいったん忘れて新たに考えるときに、創造的な仮説が生まれる。もちろん追い込まれたときに、こういうゼロベースの発想をすることは大事であるが、日頃からゼロベースで考える癖をつけておくと大きな効果の上がる解決策を効率的に思いつくことができる。

最初から非現実的な仮説や突拍子もない仮説を除いて考えると、常識的な考えしか思い浮かばず、真の課題や原因にたどり着かないことがある。だから最初は枠を外し、あえて幅広く考えてみるのだ。その後で、非現実的な仮説やすぐに反証のでる仮説を除いていく。

6 よい仮説の条件——悪い仮説とどこが違う?

条件1 掘り下げられている

さて、これまで仮説の立て方について述べてきたわけだが、仮説があっているか、違っているかということ以外に、よい仮説・悪い仮説という考え方がある。誤解があるといけないので繰り返しておくが、BCG社内では仮説が当たっていたか、間違っていたかをよい・悪いとはいわない。たとえ間違っていても、それをベースに新たな仮説がつくられたり、選択肢のひとつが消去できれば、それはそれで仕事が前に進むからである。

それでは、よい仮説と悪い仮説は一体どこが違うのだろうか。

「営業成績が上がらない原因を調べ、対策を練る」というケースで考えてみよう。たとえば、次のような仮説を立てたとする。

【仮説①】営業マンの効率が悪い
【仮説②】できない営業マンが多い
【仮説③】若手営業マンが十分教育を受けていない

これらの仮説は決して間違ってはいないが、よい仮説とはいえない。ではよい仮説とはどんなものか。たとえば次のような仮説である。

【仮説④】営業マンがデスクワークに忙殺されて、取引先に出向く時間がない
【仮説⑤】営業マン同士の情報交換が不十分で、できる営業マンのノウハウがシェアされていない
【仮説⑥】営業所長がプレイングマネジャーのため、自分自身の営業活動に忙しく、若手の指導や同行セールスができていない

見比べてほしい。はじめに挙げた仮説とよい仮説との違いがわかるだろうか。
まず、仮説の掘り下げ方が違う。「営業マンの効率が悪い」(【仮説①】)というだけでな

く、なぜ効率が悪いのかという原因にまで踏み込んでいるのがよい仮説だ。すなわち、「営業マンがデスクワークに忙殺されて、取引先に出向く時間がない」（【仮説④】）ために、営業効率が悪いのではないかと考えている。

同様に、「できない営業マンが多い」（【仮説②】）のは、優秀な営業マンがノウハウ、セールストーク、ツールをもっているにもかかわらず、「営業マン同士の情報交換が不十分で、できる営業マンのノウハウがシェアされていない」（【仮説⑤】）ことに原因があるのではないか。

「若手営業マンが十分教育を受けていない」（【仮説③】）という問題についても、本来なら若手営業マンを教育する立場にある営業所長が自分も顧客を抱えていることで、自分の顧客の面倒をみるのに忙しかったり、あるいは自らも営業成績を上げなくてはならなかったりして、若手営業マンの指導や同行セールスができていないのではないか。つまり、「営業所長がプレイングマネジャーのため、自分自身の営業活動に忙しく、若手の指導や同行セールスができていない」（【仮説⑥】）と考える。

こういう仮説がよい仮説だ。「なぜ、そうなのか」というところまで、もう一段掘り下げて考えてみなくてはならない。

これができるようになるために、仮説を立てるときには常に、So What？（「だから、何？」、「だから、どうする？」）と考えるべきだ。たとえば、「体重が一年間で一〇キロも増えた」としよう。「だから、何？」と考えると、「やせないと身体に悪い」となる。そして「だから、どうする？」と考えれば、「運動をする」となる。さらに「だから、どうする？」と考えれば、「毎日ジョギングする」という具体的な行動に落とし込むことになる。このように具体的になるまでSo What？を繰り返すのが、仮説を掘り下げるコツである。

条件2 アクションに結びつく

よい例として挙げた【仮説④】、【仮説⑤】、【仮説⑥】は、いずれも掘り下げられている。すると、仮説が正しいと証明されたときに、すぐに実行できる解決策につながる。これがよい仮説の条件の二つ目だ。一方、【仮説①】、【仮説②】、【仮説③】では、正しいと証明されたところで、明日からどうすればいいのかという解決策にはつながらない。

たとえば、「営業マンの効率が悪い」（【仮説①】）という仮説を立てたからといって、営業マンに向かって、「効率よく働け」というだけでは、普通の営業マンはどうしていいかわからない。

ところが、「営業マンがデスクワークに忙殺されて、取引先に出向く時間がない」（【仮説④】）にまで進化していると、「デスクワーク専門のアシスタントを置き営業マンが頻繁に外出できるようにする」、「ITを活用してデスクワークを半分の時間ですむようにする」、「売上げにつながらない業務日誌のためにデスクワークの時間が長くなっているので日誌を簡潔にする」などの、具体的な解決策につながる。

つまり、よい仮説の条件とは、「一段深く掘り下げたものである」ことと、「具体的な解決策あるいは戦略に結びつく」ことの二つだ。

よい仮説を立てることが重要な理由

よい仮説を立てられると、問題解決はとてもスムーズになる。

①問題発見が早くなる

前述した、営業成績が上がらない例で考えると、問題を発見するためには、営業効率が悪いという表面的な問題だけではなく、なぜ効率が悪いのかという理由まで掘り下げて考えなくてはならない。

さらにひとつだけではなく複数の仮説を立て、どの原因が最も営業の効率を悪化させているのかを検証することも必要だ。たとえば、営業マンがデスクワークに忙殺されている場合も考えられるが、取引先に注文品が予定どおり届いていない、あるいは取引先からの入金確認ができていないなど、営業マンの活動とは関係のないところでトラブルがあり、そのトラブル処理に営業マンが忙殺されて営業効率が悪い場合もあるかもしれない。その場合には、営業だけ改善しても営業成績が上がらないという問題は解決せず、解決策を間違えることになる。

問題の真因を発見していくときには、一段掘り下げた複数の仮説を立ててみることが重要な役割を果たす。

②解決策が早く立てられる

有効な解決策を立てるためには、仮説を掘り下げてより詳細化、あるいは具体化することで、解決策につながりやすい仮説に進化させることが重要だ。

③解決策が絞り込める

営業成績が上がらないという問題に対して仮説を立てていくと、いくつかの解決策を立てることができる。ただし、その中でより有効な解決策を選択し、実行しなくてはならないので、解決策を絞り込むことが必要だ。その際には、営業の効率が悪いことと、営業マンの教育が十分でないことの、どちらがより重要な問題なのかを見極めなくてはならない。それにはさらに掘り下げた仮説を立て、それを検証することが必要になる。その結果、営業マンの教育も十分に行なわれていないけれど、それ以上に営業効率が悪いことが問題だと判断すれば、営業効率を改善する解決策を優先するし、営業効率を二〇～三〇パーセント改善するよりはひとりひとりの営業マンの質を高めたほうが売上げがアップすると判断すれば、営業効率の改善策はひとまず置き、営業マンの教育に力を入れる。

このように解決策を絞り込むときにも、仮説は重要な役割を果たす。問題解決のためには仮説が重要で、しかも深く掘り下げたよい仮説でなくてはならない。よい仮説をつくるには、いったん立てた仮説をそれでおしまいにせず、深掘りして進化させる必要がある。

そのためには次章で述べる「検証」という技が重要な意味をもつのである。

7　仮説を構造化する

大きな問題と小さな問題を明確にする

構築した仮説は深掘りして進化させていく必要がある。ここでは仮説を深掘りする上で便利な方法として、イシュー・ツリー、あるいは論点の構造化と呼ばれるアプローチを紹介したい。図表3—4のようなツリー構造の絵を描き、システマティックに仮説を構造化する方法だ。こうすることによって、大きな問題と小さな問題を明確にすることができる。

インタビュー結果から仮説を立てるところで紹介した、「よい製品を出しているにもかかわらず、売上げが伸びないので、その原因を調べて戦略の提案をしてほしい」という例を再度使い、この方法を説明しよう。

事例　売上げが上がらない理由を構造化する

まず、売上げが上がらないという問題を構造化する。売上げが上がらないときに考えられる大きな理由は二つある。

(1)　総需要が減少しているため応分のシェアは維持しているものの売上げが減少しているケース

(2)　総需要は減少していない、あるいは増加しているけれども、自社の売上げだけが減少しているケース。つまり自社が競争相手に負けているケース

まずはこの二つを明確に分けて考える。

仮説(1)　総需要が減少→なぜ総需要が減少したか

需要自体が減少している場合には、なぜ需要が減っているのかをさらに考える。

たとえば需要が一巡して成熟期に入ってしまった場合が考えられる。携帯電話がよい例

◆ 図表 3−4　論点の構造化（イシュー・ツリー）

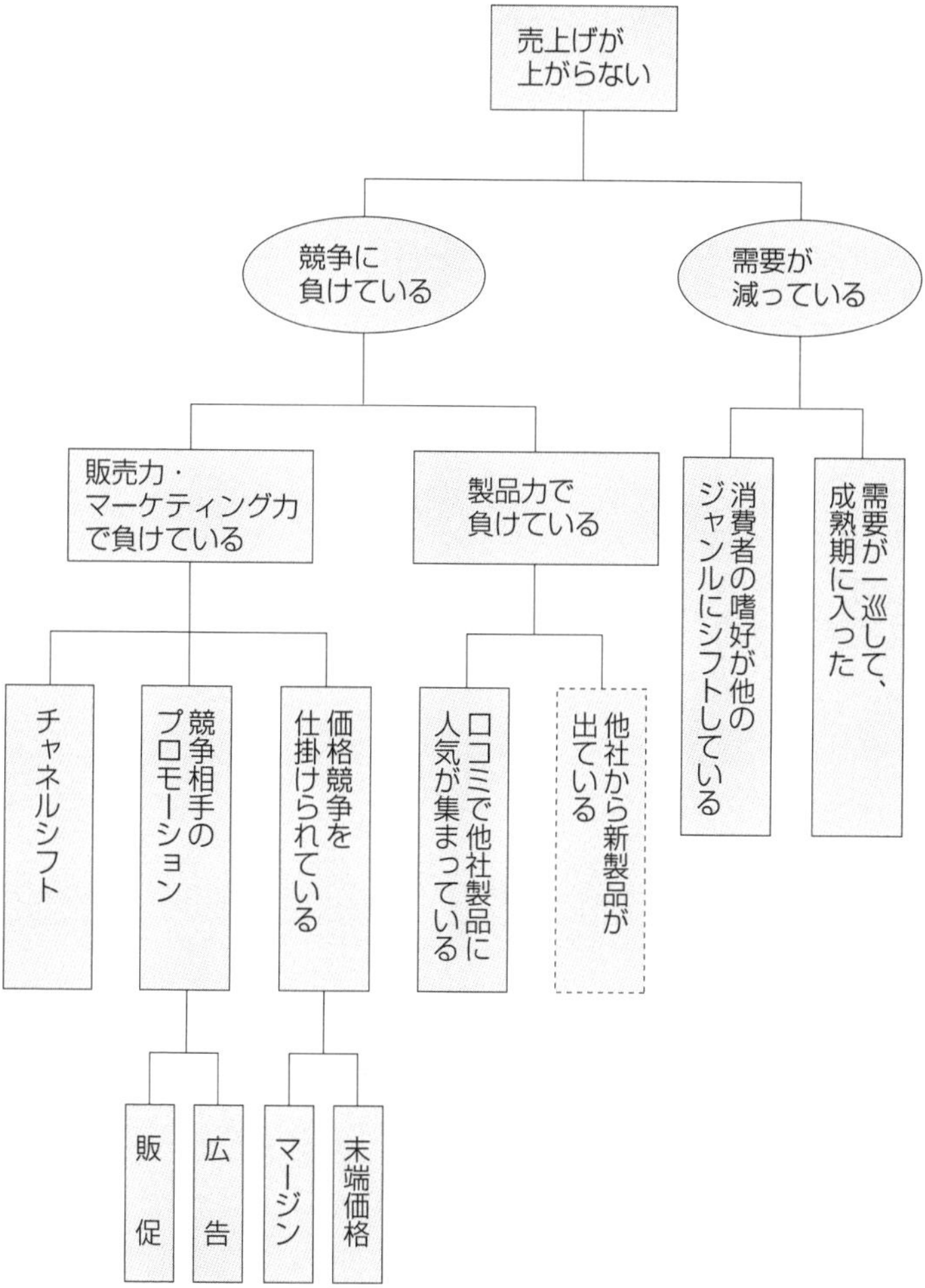

で、新規加入者も減少し、端末も昔ほどのペースでは買い換えなくなり、携帯電話は明らかに需要が一巡し、需要が減少した。

その他、消費者の嗜好が他ジャンルにシフトしてしまっている場合も考えられる。たとえば女子高生が携帯電話により多くのお金を使うようになると、女子高生向けのファッション業界は全体的に需要が落ちる。

仮説(2)──①　競争相手に負けている→製品力で負けている

競争に負けている場合には、さらに次の二つに分けられる。

① 製品力で負けている場合
② 販売力・マーケティング力で負けている場合

製品力で負けている場合、さらに二つに分けられる。ひとつは、他社から新製品が出ている場合で、ここでは他社から新製品は出ていないので点線で囲ってある。

しかし実際には、他社から強力な新製品が出て、それに負けてしまうこともよくある。たとえばキリンビールのラガーがアサヒビールのスーパードライに負けたケースなどは典型的な例として挙げられる。

もうひとつ、製品そのものは変わらないけれど、口コミで他社製品に人気が集まってしまっていることも考えられる。この仮説は製品力にも、販売力、マーケティング力にも入らない中間的な仮説かもしれないが、ここではあえて製品力に入れておく。

仮説⑵―② 競争相手に負けている→販売力・マーケティング力で負けている

そして販売力・マーケティング力で負けている場合は、さらに想定される要因によって三つに分けることができる。

A　価格競争を仕掛けられている場合
B　競争相手が非常に上手なプロモーションをやっている場合
C　消費者が商品を購入するチャネルが変わり、顧客が得意でないチャネルにシフトしている場合

価格競争を仕掛けられている場合には、次の通りに分けられる。

a　末端価格において安売りが始まっている場合

b　末端価格は崩れていないけれども、競争相手が中間の卸売りや小売店のマージンを増やし、結果的に卸や小売店が競争相手の商品を消費者に推奨しているため、顧客の製品が売れない場合

競争相手のプロモーションがうまい場合には、次の二つに分けられる。

a　競争相手が効果的なテレビコマーシャルや新聞・雑誌の広告をどんどん行なっている場合

b　販売促進のためのツールを配布したり、キャンペーンガールを派遣して積極的にキャンペーンを行なっている場合

このようにして、イシュー・ツリーという形で論点を掘り下げていき、構造化していく。

立てた仮説を検証して絞り込む

もちろん、途中で総需要は減少していないことがわかれば、需要が減少している場合を構造化したツリーは捨て、左半分の競争に負けている場合のツリーだけに集中して調べればいい。さらに製品力では負けていないことがわかれば、販売力・マーケティング力で負けている場合のツリーだけを調べていく。

このように、立てた仮説を検証して絞り込み、可能性のある仮説についてはさらに踏み込んで仮説を立てて、検証する。それを繰り返すことで仮説を進化させていくのが、イシュー・ツリーを使ったアプローチだ。

この方法を使うと、自分が立てた仮説を検証するときにわかりやすく整理できるし、相手を説得するときにも有効だ。たとえば相手から何か反論を受けたときにも、このイシュー・ツリーを見せながら、「それは検証済みだ」、「それは違う」と論理的に説得することができる。

第4章

仮説を検証する

The BCG Way——The Art of Hypothesis-driven Management

1 実験による検証

セブン-イレブンの実験「二〇〇円のおにぎりは売れるか？」

仮説は検証し、進化させていく。検証方法にはいくつかある。主な方法として、ここでは、①実験による検証、②ディスカッションによる検証、③分析による検証を紹介する。もちろん、これらを個別に行なうというわけではなく、通常、コンサルタントはこの方法を合わせて使っている。

仮説を検証する場合、一番確実でわかりやすいのは実験することだろう。それも現場での実験が一番わかりやすい。

前述したセブン-イレブンの例はまさにこれに当たる。消費者はどんな商品を求めているか、情報を集めて現実を分析しながら仮説を立て、その結果を検証し、修正すべき点を修正しながら消費者のニーズに合うように変えていく。たとえば、おにぎりについてのユニークな仮説検証例がある。

数年前、「おにぎりが明らかに消費者にあきられている」という時期があった。この問題を解決するためにセブン‐イレブンはどのようなことを行なったか。

スーパーは、昭和三〇年代に商品の価格を安くすることで売上げを伸ばして成長してきたが、モノ余りの現在では、消費者は価格の安さより、味や品質などの商品の価値を重視するようになっている。こうした背景を受け、セブン‐イレブンでは、「品質がよく、味がよければ、二〇〇円のおにぎりも売れる」という仮説を立てた。おにぎりの価格は一〇〇〜一三〇円が常識と考えられていたから、業界では「何を考えているのか?」という声さえ聞かれた。

セブン‐イレブンでは、消費者のおにぎり離れは、価格を下げれば解決する問題なのか、質に魅力がないからなのかを検証した。まずは赤字を覚悟でほとんどのおにぎりを一〇〇円で売ってみた。その結果、二〜三カ月は売上げが二〇パーセント程度伸びた。次に二〇〇円の質の高いおにぎりを売りだした。すると、価格を下げたときをはるかに上回る売上増を記録した。

このように仮説を実験してみることで、消費者のニーズをつかむことができたのである。

ソニーの消費者刺激型開発

もうひとつユニークなケースを紹介しよう。それは消費者刺激型開発という手法である。これは、ユーザーとコミュニケーションをとりながら製品開発を実施していく戦略である。

メーカーは通常、開発に先立ってマーケット・リサーチを行なった上で製品の最終コンセプトを固め、完成した製品を発売する。それに対し、消費者刺激型開発では、必ずしも最終製品ではない一種のパイロット的製品をユーザーにぶつけ、返ってくる反応を開発に反映させせながら最終的なコンセプトに絞り込んでいくという、仮説検証を行ないながらの商品開発方法だ。

かつてソニーがCDプレーヤーを開発した際、まさに消費者刺激型開発を行なった。当時、CDプレーヤーというまだ世にない製品をつくるに当たって、ソニーの開発陣は、どのようなデザインがいいのか、どのような機能をもたせたらいいのか、販売価格はどの程度が適当かと頭を悩ませた。

シンプルなデザインにするか、録音機能を付加するなどの多機能型にするか、高価格で売りだすべきか、手頃な値段に抑えるべきかなど、選択肢はいくらでもあった。このよう

◆ 図表 4－1　ソニーの CD プレーヤー開発

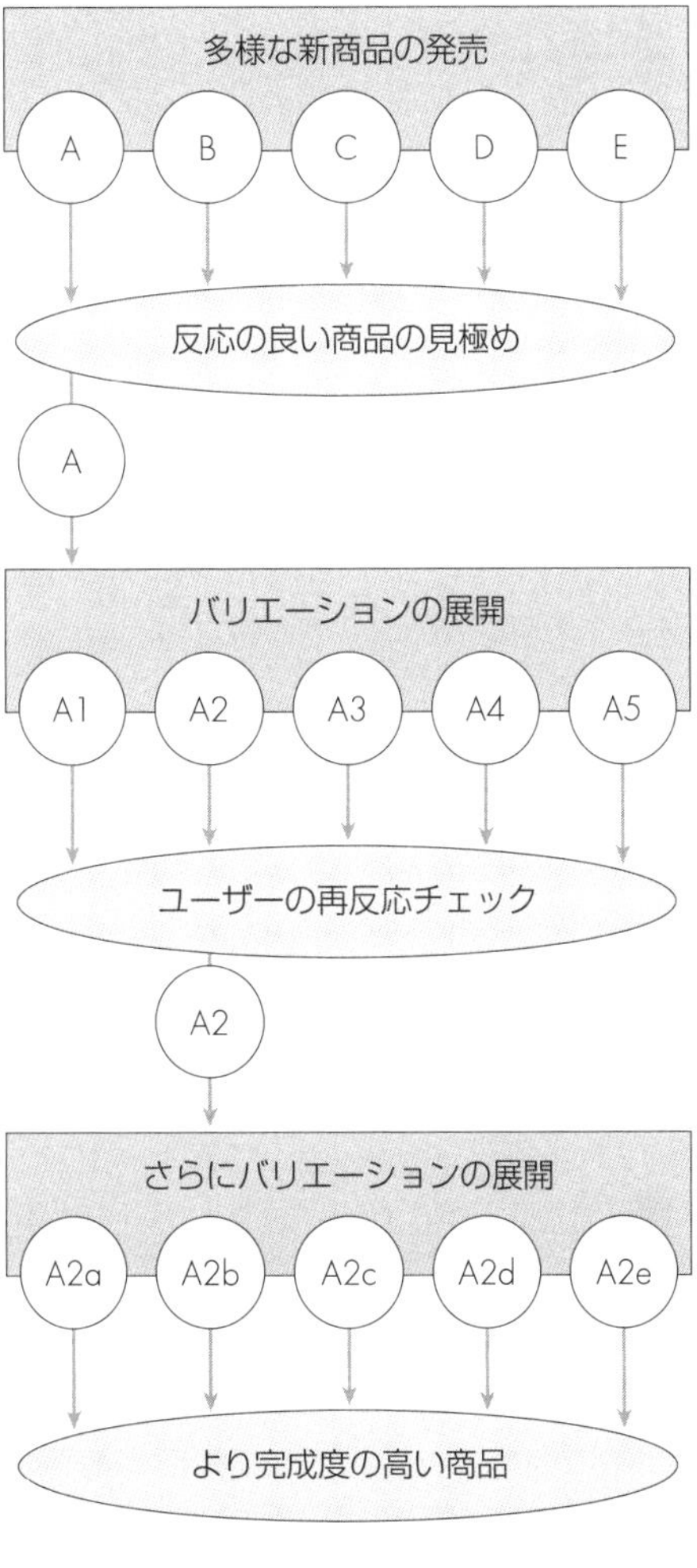

な場合、マーケット・リサーチを行なったところで、消費者自身がCDプレーヤーというものを見たことがないため、聞かれても答えようがない。かといって、開発サイドの思い込みでつくるのはリスクが大きすぎる。

そこでソニーは、とにかく市場に聞いてみようということで、三一カ月間に一五種類のCDプレーヤーを次々と発売した（図表4―1）。約二年半で一五種類といえば、モデルチェンジの頻繁なエレクトロニクス業界でも特筆に値する数である。

具体的には、最初に五機種から六機種を同時に発売した。つまりよいと思われる仮説を消費者に投げたのである。検証は販売台数となって表れた。

そして、その中でAタイプがよく売れたとすれば、なぜAタイプが売れたかを調べるために、ユーザーからじかにどの点が気に入ってどの点が不満かということを聞いて、その意見に基づいて、Aタイプをベースにした A1、A2……という商品を次々と発売した。こうした作業を繰り返すことによって、通常よりはるかに短期間で市場のスィートスポットの発見、すなわち売れ筋商品の絞り込みに成功したのである。

どの商品が受けるかわからないというときは、消費者に聞いてみるのが一番だ。ただし、仮説検証を繰り返しながら売れ筋商品の絞り込みを行なうには、商品開発のスピードが重要なカギを握る。商品を開発して市場に出す、その反応を見て、次のタイプを開発し市場に出す。このサイクルに速さが求められる。一個の商品を出すのに二年も三年もかかっては意味がない。数カ月で新商品を出せる社内の開発体制が必要になる。

こういう体制をつくるのは容易ではないが、これを実現できれば圧倒的に競争優位を築くことができる。ソニーがCDプレーヤーを発売した直後、同業他社もソニー製品を見本にして対抗商品を発売した。しかし、発売するとすぐにソニーが新製品を出すため、他社はソニーに追随するだけで苦労し、ついには息切れしてソニーの勝利に終わったのである。

仮説検証はとても大切だ。製品開発において、消費者ニーズを把握するためのマーケット・リサーチは不可欠だが、昨今の消費者ニーズの多様化やトレンドの変化の速さを考えると、マーケット・リサーチがあまり役に立たないことが多い。とりわけ、まだ世にないコンセプトの商品を開発する場合、市場調査はほとんどあてにならない。ヒット商品はユーザーに聞け、といわれるが、これを額面どおりに受け取ることは危険である。なぜならユーザーは必ずしも自分のニーズを的確に表現できないし、場合によっては、自分でも何が欲しいのかわかっていないことが多い。したがって、ソニーのようにメーカー側から商品というメッセージを次々と市場に送りだしてユーザーを刺激し、その反応を見ながら基本コンセプトを固めていくという開発戦略も時には有効なのである。

テストマーケティングは有効な手段

消費者刺激型開発戦略はうまくやればたいへん有効だが、相当の企業体力が必要だ。そこで、より一般的に行なわれる仮説検証の方法として、テストマーケティングがある。テストマーケティングとは、商品を発売する際に、当初限定された市場、チャネルなどで、全国発売時と同じ条件（同様のマーケティング活動、チャネル設定など）でテスト的に発売することだ。テストマーケティングでは、初動、リピート、広告や販促との連動などが測定され、商品仕様、販売計画、訴求ポイントなどが全国展開に向けて修正される。生産計画などのリスクを最小限に留め、効率のよいマーケティング活動を行なうことができる。

ちなみにテストマーケティングの対象地としては、静岡、札幌、広島などが選択されるケースが多く、これには、所得分布、嗜好などの面で、全国市場をコンパクトにした平均的な市場とみなし得ること、域内で完結した広告媒体が存在すること、などの理由がある。

テストマーケティングというのはまさに仮説の検証だ。たとえばテレビCMのAパターンとBパターンはどちらがいいかという場合、それを一部地域で流してみる。あるいは商品パッケージのA案とB案ではどちらが売れるか、一部地域で試してみる。全国展開するとコストがかかるから、特定のエリアで実際にやってみる。パイロット的な実行となるが、本格展開する前に行なうと、かなり確度の高い検証をすることができるだろう。

中には、施策を思いつき、検証しないまま本格展開し、手痛いダメージを被る企業もある。一度検証する機会をもち、仮説を進化させてから導入することで、そうしたリスクは少なからず低減させることができるはずだ。

実験による検証には向き不向きがある

実験による検証はたいへんわかりやすいが、向くものとそうでないものがある。たとえば、店内のレイアウトや商品ディスプレイの変更などは実験による検証に向く。アパレルや食品など繰り返し消費の起こる業界での商品改良なども、広い意味では仮説・実験・検証を繰り返しているといえる。こういう業界では、実験による検証は比較的たやすい。

しかし、自動車メーカーや製薬会社など多額の開発費用がかかり、乾坤一擲《けんこんいってき》の商売をしている業種などは、そう簡単に実験するのは不可能である。また、問屋を中抜きする、新規事業をスタートさせるなど、会社としての大きな意思決定も実験には向かない。

また、ミクロな意思決定だからといっても、実験を繰り返すには相当な企業体力が必要になるだろう。

したがって、次に述べるディスカッションや分析による検証が、現実的には、重要な意味をもってくる。徹底的なディスカッションや分析を行なうことによって、仮説の精度を上げることができるのだ。ときには実験を行なうまでもなく、より精度の高い仮説に進化させることもできるはずだ。

2 ディスカッションによる検証

参加メンバーや行なわれる場はさまざま

ディスカッションは仮説を構築するとき、検証するとき、進化させるとき、いずれの場合にも有効な手段である。仮説思考のための基本スキルといってよい。

特に仮説を検証するよい機会になる。自分の出した仮説を、自分で検証するという方法もあるが、それは経験を積まないうちはなかなか難しい。それよりも他者との対話によって検証するほうが時間もかからず、楽なことが多い。

ディスカッションの参加メンバーや行なわれる場はさまざまだ。たとえばチームメンバー、同僚、上司や部下とのディスカッションで、自分の仮説について聞いてみる。コンサルタントの場合、顧客に直接ぶつけるというやり方もあるし、あるいは市場に出て、流通関係者や消費者に仮説をぶつけるという方法もある。顧客が仮説に納得していなくても、エンドユーザーが納得してくれれば強力な説得材料になる。

前述したインタビューも広い意味ではディスカッションといえる。インタビューのときに単に取材するだけでなく、あらかじめ用意しておいた仮説をぶつけることができれば、問題解決のスピードはさらに加速することになる。

自分ひとりで考えているとおのずと限界も出てくるし、悪いサイクルに入ってしまうと、自分では気がつかずに同じところをぐるぐる回ってしまうことも多い。同僚やその道のベテランを交えてディスカッションすることで、自分の考えが進化したり、勘違いや思いこみを排除することができる。また思い切った発想が必要なときは、逆にその分野では門外漢だが幅広い教養をもった人物や、素人のほうが、ユニークで斬新なアイデアが出てくることが多い。

社内の恥はかき捨てと心得る

最も頻繁に行なわれるのは社内ディスカッションだろう。BCGでも、プロジェクトチームのメンバーが集まるミーティングで自分たちの仮説をもち寄ってディスカッションする場合もあるし、プロジェクトに関係のないメンバーでフリーディスカッションする場合もある。

最初のうちは、仮説を立てても間違っていたらどうしようかという不安もあるだろう。だが、若いうちは失敗をおそれずに、大いに間違えることだ。実際、自分ひとりで悶々と考えていると時間の無駄なので、早めに他人に考えをぶつけたほうがよい。場合によっては少しくらい乱暴な仮説をぶつけて、相手がおもしろいといってくれるか、あるいは怒られるか、相手に判断してもらう方法もある。

社外のディスカッションで、ピントのずれた仮説を提示し、恥をかいてしまうと問題になることもあるだろう。だが社内のディスカッションならば大いに恥をかいたり、失敗したりしてもいい。「社内の恥はかき捨て」と思えば、思いつきレベルの仮説を提示することもできる。恥をかきたくないと思うと、できるだけ仮説を完璧なものに近づけてから周囲の人とディスカッションをし、答えを出そうとする。しかし、それでは時間がかかりすぎたり、結局よい解決策に到達できなかったりする場合が多い。恥をかくことをおそれずに、中途半端な仮説でも前倒しでぶつけてみて、よいインプットをもらい、修正したり進化させたりしていくことが大切だ。

プロジェクトに関係のないメンバーとのディスカッション、あるいは公式なミーティングではないインフォーマルな場でのディスカッションも実に有効だ。顧客に関する情報など部外者に秘密にするべき話題には注意しなくてはならないが、仮説検証に行き詰まってしまった場合など、役に立つヒントをもらえる可能性が高い。

仮説の掘り下げや進化も見込める

そのような場で、自分なりの仮説を提示し、仮説を検証し、さらに掘り下げ進化させる。たとえば、かつてあるプロジェクトで、コンサルタントから、「現在分散しているコンピューターを大型のものひとつにまとめてしまったほうがトータルコストは安くなる」という仮説が出されたことがあった。大型コンピューターはお金ばかりかかってコストパフォーマンスが悪いから、小さなコンピューターをたくさん使うやり方、いわゆるダウンサイジングすべきという風潮の中で、斬新な仮説であった。社内ディスカッションでは最初、「そんなはずはないだろう」という声も出た。が、何人かで話し合ってみると、その企業の場合は単純なデータを大量に処理するために、中型コンピューターセンターを複数もつよりも、一カ所にまとめて大型コンピューターで処理するほうが、効率と経済性の両面で優るということが見えてきた。その仮説をチームのディスカッションによってさらに進化させ、さらに顧客の反応も予想してみた。顧客からは、「おもしろいけれど、本当にそんなことが可能で経済性にあうのか」という疑問が出そうだと、メンバーの多くが考えていた。そこで、チームは数字による分析や技術的な実現性などの検証も加えて確認した上で、顧客に提案した。結局、顧客も納得し、実行に移すことになった。

顧客にぶつけるときは分析をした後で

一方、コンサルティングの中で仮説を直接顧客にぶつけることもある。このような場合は、思いつきレベルの仮説を提案することはない。分析を行なってからの提案となる。

仮に、航空会社に対して、旅行代理店を通さずに直接消費者に販売する方法を提案したとする。航空券の予約が、コールセンターやインターネット、モバイルで可能になった現在、旅行代理店の存在意義は薄れている。以前はチケットという物理的なペーパーがあったから、それを受け渡すために旅行代理店は必要だったが、eチケットやチケットレスになれば、さらに存在意義はなくなる。そこで、代理店は不要だという仮説を提案する。その際は、あらかじめ代理店を通した場合と直販した場合の経済性比較の分析をしておく。

そうすると、たとえば「経済性の優位はわかるが、代理店には与信機能がある」といった意見が出されることが予想される。顧客が何らかの理由で航空券の代金を払えなくなったときに旅行代理店が責任をもって支払ってくれるという意味だ。そこで、「現状で、最終顧客である企業の倒産リスクと代理店の倒産リスクはどちらが高いですか」と再度、質問する。そして、仮に一般企業より旅行代理店のほうが倒産率が高いことがわかれば、旅行代理店を通すほうがよほど与信のリスクが高くなることがわかる。このようにディスカッションをしていくことで仮説を確かめていくのである。

上手なディスカッションを実施するコツ

ディスカッションに際してのコツや心構えのようなものをお話ししよう。

コツ1　必ず仮説を立てていく

まず、ディスカッションに何の仮説や考えももたずに手ぶらでのぞみ、相手から答えだけを引きだそうと思うのは虫がよすぎる。ディスカッションで答えを引きだしたいなら、必ず自分なりに仮説を立てておき、それを先にぶつけなくてはならない。これは最低限のルールで、自分で何もわからない状態で相手に教えてもらおうとする姿勢では何も得られない。

もちろん完璧な仮説である必要はない。半完成品でいいからとにかく俎上に載せてみることが大切だ。「自信はないけれど、こういうことなのではないか」という程度でいいので、仮説をぶつけてみることだ。たとえ間違っていたとしても、周囲にはその問題に関してよりくわしい人や、まったく違う視点をもった人がいるのだから、その人たちとディスカッションすることによって、仮説を検証し、進化させていけばよい。

コツ2　仮説を否定せずに進化を目指す

ディスカッションで誰からか中途半端な仮説や誤った考え方が出てくると、ついその仮説や考え方のアラを指摘してしまいがちになる。しかし、否定からは進歩は生まれない。単に否定するのではなく、「こういう考え方のほうが答えに近づくのではないか」、「こういう視点を加えたらどうか」というアドバイスをする。これがディスカッションで仮説を検証し、進化させるコツである。

コツ3　議論は負けるが勝ち

ディスカッションで大切なのは、相手の話をしっかり聞くことだ。そして相手の発言の意図を理解し、なぜそういう発言をするのか踏まえて対応していく。ディスカッションの目的は勝つか負けるかではなく、仮説の検証と進化である。ディスカッションを行なうときはそのことを忘れずに、場合によっては「負けて実を取る」ことも必要になる。

コツ4　メンバーはバラエティ豊かに

ディスカッションを成功させるために、時には、あえてチームメンバーに異なる役割を担わせることがある。メンバー構成としては、たとえば常識はずれでもよいから跳んでいる意見をいう役、人の意見を批判的に見る役、逆にまとめ役などをおく。もちろんもともと、そういうことの得意な人がうまい具合に散らばっていればよいが、そうでない場合は、たとえ普段は跳んでいる人でも、今日はまとめ役をお願いしますということがある。違う役割、性格の人がいると、ディスカッションは幅広くなり、仮説の検証も行ないやすくなる。

3 分析による検証

分析の基本はクイック&ダーティー

分析も検証の際に重要だ。それでも精緻な分析は必ずしも必要ではない。仮説の検証のための分析のコツは、まず最小限の要素だけを急いで簡単にやるよう心がけることだ。われわれはこのような分析のことを、急いでかつ粗いということで「クイック&ダーティー」と呼んでいる。時にその辺にある封筒の裏を使って、ちょこちょこと計算を行なうことから、「バック・オブ・エンベロップ」分析ともいう。

この分析の目的は、主に自分が納得するためだ。自分が立てた仮説が合っているかどうかを急いで検証するのである。

次に本格的な分析を行なう。これは他人を説得するためであり、万が一の間違いを防ぐ目的である。ただし、これもいかに精緻華麗な分析を行なうかではなく、意思決定に必要な判断を行なえるものであるかという視点が最も重要である。仕事の意思決定に使う分析と、学術論文の分析とは違う。学術論文の分析には誰がやっても同じ結果が出るという正確性や精密性が要求されるが、仕事の意思決定に使う分析に、それらは求められない。有効数字はひと桁でも十分だ。

たとえば、あるプロジェクトを行なうかどうかの意思決定をする際、成功確率が八三パーセントであろうと七九パーセントであろうと、会議の結論が変わることはない。どちらの数字も成功確率は約八割と判断され、「実行する」という結論になる。さらにいえば、成功確率が四三パーセントか三九パーセントかで結論が変わることもない。「実行しない」という結論に変化はない。成功確率は八割か、あるいは四割かがわかれば結論を出すには十分で、詳細な数字は必要ないのだ。

精密な数字を扱うと判断を誤ることもある。分析すると小数点第一位までの数字を出したがる人も多い。たとえばアンケート結果を分析して、「六六・七パーセントの人が賛成」などという記述をよく見かける。その結果から、一〇〇〇人のうち六六七人が賛成と考えるとたいへん多く感じるが、実は三人のうちの二人が賛成しているにすぎないことも多い。こうした場合は、ひとりが反対に回ると結果が逆になってしまう。そうした本質的なことを見ないで細かな数字にとらわれると、判断を間違えることになる。
私は、常々経営に必要な数字は有効数字ひと桁でよいといっている。

分析を行なう目的は三つ

分析による検証を行なう前に、分析の目的をおさらいしておこう。一般的に考えられている分析の目的は、①問題を発見する、②相手を説得する、③自分を納得させる、の三点である。

① 問題を発見する

たとえば、精神科医やカウンセラーに心理分析をしてもらうとき、多くの人は自分自身が知らないことや気づかないこと、あるいは本当のことがわかるのではないかと期待する。これはコンサルタントにコンサルティングを依頼する場合も同じだ。顧客は自分の気づいていない問題、見落としている問題を発見してもらうことを期待する。

このようなケースで、精神科医やコンサルタントは、顧客の問題や課題を発見するため、あるいは現状を診断するために分析を行なう。

② 相手を説得する

問題や課題を発見した後、それを相手に理解してもらうため、相手を説得するためにも分析を行なう。

たとえばあるメーカーの商品開発担当者が、自分たちがよい製品を開発しているのに売上げが上がらないのは、営業やマーケティングに問題があるからだと思っているとしよう。でも実際に調べてみたら、営業やマーケティングに関しては他社と比べて遜色なく、むしろ問題なのは製品力がないことだとわかった。担当者は、その結論について、簡単には納得できないだろう。

したがって、担当者にその製品はなぜ競合他社に比べて劣っているのか、あるいは消費者からどう思われているのかということを理解してもらうために分析が必要となる。

③ 自分を納得させる

この問題の真の原因はこれではないかと自分なりに考え、それが本当に正しい答えかどうか、あるいは他に答えがあるのかどうかを自分で納得するために分析をしてみる。

まず仮説ありき、次に分析

このように分析にはいろいろな目的があるが、いずれの場合においても最も大切なのは、仮説を検証するために分析を行なうということだ。闇雲に分析してから問題を整理するのではなく、まず問題意識をもって仮説をつくり、それが正しいかどうかを検証することが、分析を行なう正しい態度である。

なぜなら仮説を検証するために分析を行なう場合、必要となる分析もおのずと限られ、最小限の工数ですむからだ。これを忘れて、分析結果から何かを発見しようとすると、あれもこれもと闇雲に分析することになり、結局は情報洪水に溺れてしまう。

パソコンが普及している現在では、データさえあればさまざまな分析が可能だ。たとえば表計算ソフトを利用すれば相関分析や多変量解析も簡単に行なえる。あるいは解析専用のソフトウェアを利用して分析しようと思えば、一週間でも、一カ月でも一年でも分析し続けることが可能だ。だが、このような問題意識のない分析は、決してやってはいけない。

4 定量分析の基本技

分析には、数字データを使って分析する定量分析と、数字データよりはインタビューのコメントや経営者の考え方、あるいは消費者の声について分析する定性分析がある。定性分析で十分ならば、定量分析をする必要はないが、仮説検証において多く使用するのは定量分析である。

ここでは定量分析を行なう際に基本となる方法を紹介する。こうした分析手法を理解して仮説検証に役立ててほしい。

①比較・差異による分析

比較・差異は最もわかりやすい分析方法で、二つ、三つのものを比較し、その違いがどこにあるかに注目する。市場シェア、売上げ、コスト、価格などを比較したり、顧客満足度を調査し、それを数値化するときに使う。実際に比較・差異の分析を仮説検証に活用した例を紹介する。

事例　トイレタリー商品のチャネル別損益

図表4―2は、あるトイレタリーメーカーの主力商品の損益をチャネルごとに比較した例だ。

当時、その業界ではいわゆる総合スーパーとよばれているGMS（General Merchandise Storeの略、イトーヨーカ堂やイオンがこれに当たる）が優良なチャネルだと考えられていた。なぜならGMSでは基本的に商品の最終市場価格が高い。メーカー希望価格に近い値段で販売してくれる。また、買い取るときにはメーカーの提示した価格で納得してくれた。これらの理由でメーカーからみてGMSは非常に優良なチャネルだった。

一方、ディスカウンターは商品の市場価格をどんどん安くしてしまう。買い取るときも、大量に買い取るのだからとボリュームディスカウントを要求する。これらの理由で、扱いにくいチャネルと考えられていた。

そうした中で、あるコンサルタントがメーカーが忌み嫌っているディスカウンターのほうが実はメーカーにも顧客にも貢献しているのではないかということをいいだした。そこで実際にチャネルごとの収益性を比較してみるとどうだろう。

製販価格とは、メーカーがそれぞれのチャネルにいくらで販売するかという定価のことだ。販促費は、店舗におけるキャンペーンの協賛金や商品陳列に使うＰＯＰの負担金などをさす。リベートとは返却する代金の一部で、売上割引とは売上高に応じたディスカウントだ。このようにさまざまな割引がある。

これらの各種割引を足し合わせると、優良チャネルだと思われていたＧＭＳは、二〇〇円近いディスカウントになり、七二〇円に対して五二五円で卸していることになる。それに対してディスカウンターには、割引をすべて差し引いても六四五円で卸していることになり、三者の中では最も高く購入していることがわかる。

さらに営業マンがそのチャネルにどのくらい時間を使うかを営業費として比較すると、ディスカウンターにはそれほど時間を使わないが、年中まめに出向いてバイヤーと相談する必要があるＧＭＳやＳＭ（スーパーマーケット）は営業費が多くかかっていた。営業費まで差し引いて考えると、ＧＭＳは一個当たり六五円の赤字、ディスカウンターは九五円の黒字であることがわかった。

メーカーが、ＧＭＳが最良顧客だと思い込んでいる場合、ＧＭＳには商品を卸したいが、価格破壊者のディスカウンターには商品を卸したがらない。しかし、このようなチャネル

◆ 図表 4−2　トイレタリー商品のチャネル別損益

	GMS	SM	ディスカウンター
製販価格	720	720	720
販促費	95	50	30
リベート	70	20	15
売上割引※	30	30	30
ネット価格	525	620	645
原　価	540	540	540
営業費	50	60	10
貢献利益	▲ 65	20	95

(円／個)

実は最も儲かっていないと思われていた
ディスカウンターの収益性が最も高かった

※売上高比で配賦
出所：BCG分析

ごとの収益性を比較分析してみると、今後はディスカウンターに多く卸したほうが結果的に利益が上がることがわかる。

②時系列による分析

時間を追ってどう変化しているかを分析するとき、時系列の手法を使う。

多くの企業は、昨年度と比べて売上げはどれくらい伸びたか、利益は増えたか、あるいはシェアは拡大したかということは気にするが、五年前、一〇年前からの変化を追っている企業はほとんどない。経営企画の担当者などが、中期計画をつくるときに数年分のデータを時系列で見ることはあるが、一〇年、二〇年単位でものごとを見る人は企業の中にはほとんどいない。

だが、長いスパンで見ることによって、企業が気づかなかった実態が浮かび上がってくることも多い。

事例　自動車メーカー別の新車販売台数と販売拠点数の推移

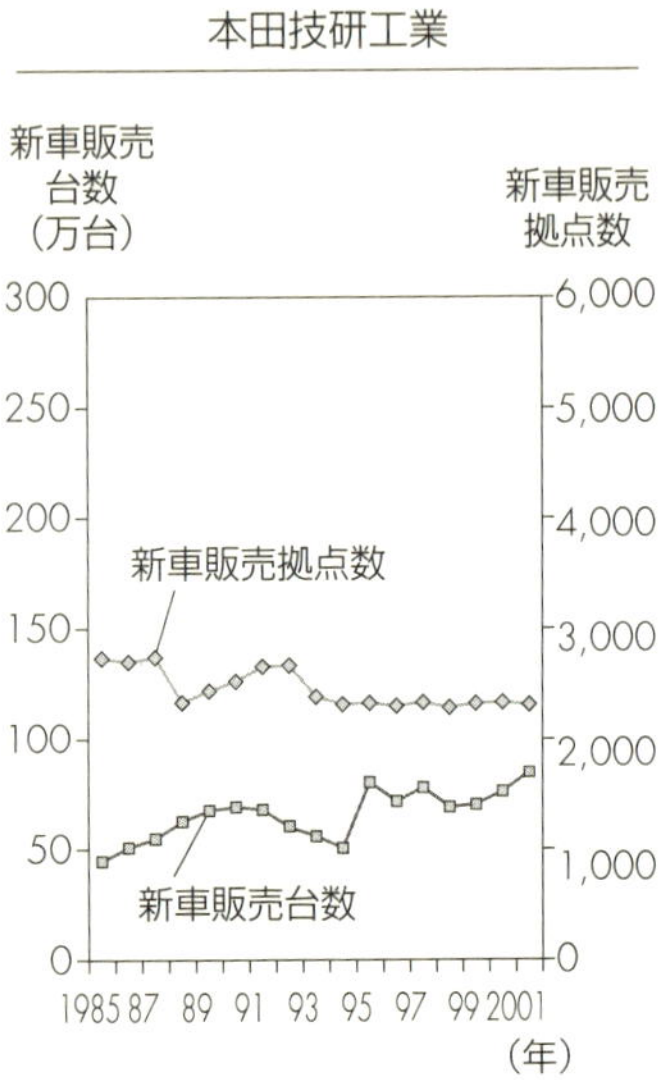

自動車メーカーは国内で熾烈《しれつ》なシェア争いをしていて、これまでシェアを少しでも増やすためにディーラーの拠点数を増やしてきた経緯がある。

一方で、自動車ディーラーが儲かっているという話はあまり聞かない。どうもディーラーの数とシェアに相関関係があるというのは幻想ではないかという仮説を立てて、実際

◆ 図表4－3　メーカー別の新車販売台数と販売拠点数の推移

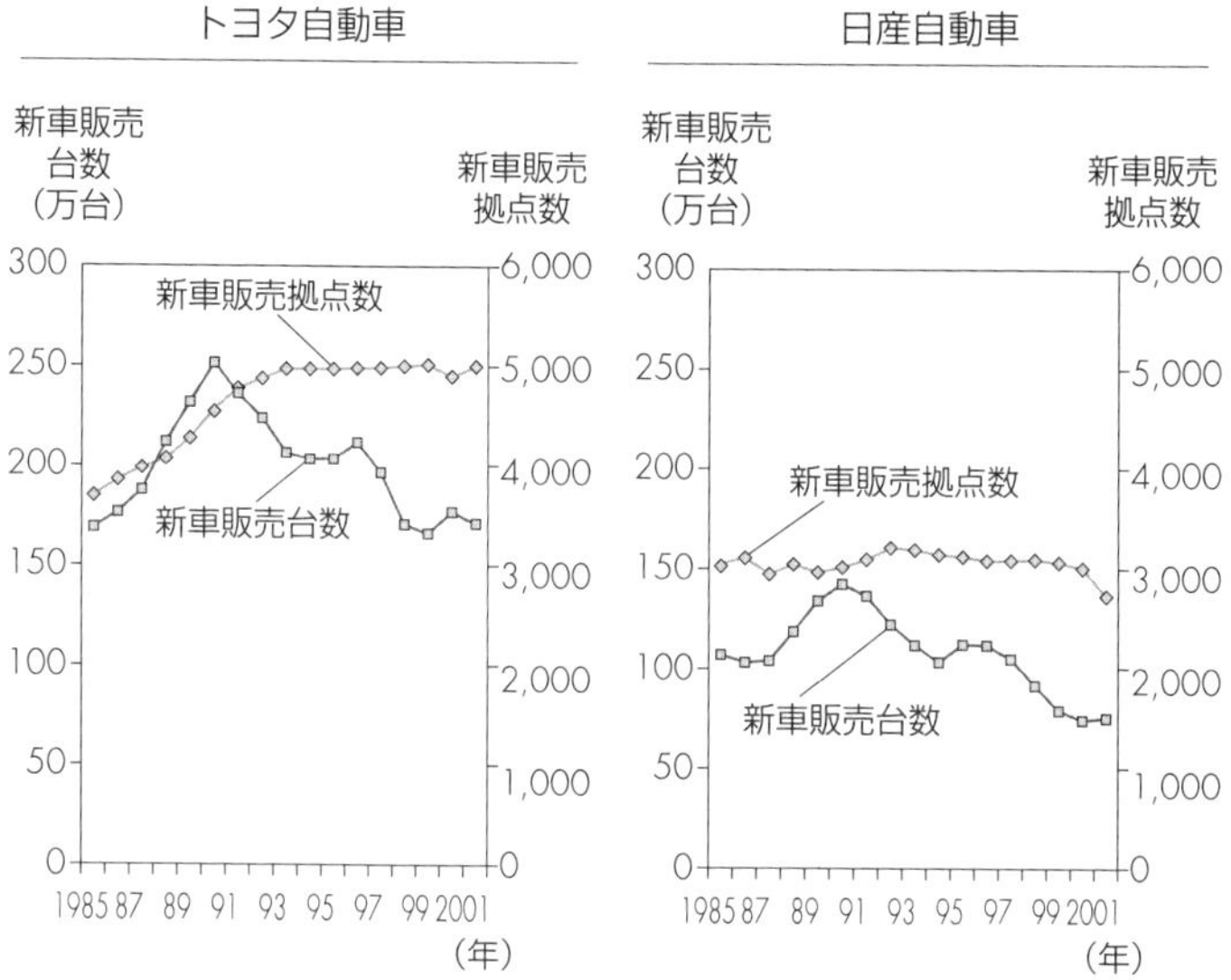

注：新車販売台数には乗用車（軽自動車を含む）、トラック、バスを含む。
出所：日刊自動車新聞社、日本自動車会議所編『自動車年鑑』、BCG分析

に分析してみたのが、図表4―3のグラフである。新車販売拠点（ディーラー）の数と新車販売台数について、一九八五年から二〇〇一年までの一六年間の推移を自動車メーカーごとにグラフで表したものだ。

　左側のトヨタ自動車のグラフを見ると、新車販売拠点数は途中で少し横這いになりながらも、基本的には右肩上がりに増え続けていることがわかる。ところが新車の販売台数は、最初の数年間は急増しているが、途中から減少する

傾向にある。これは一店舗当たりの販売台数ではなく総販売台数なので、一店舗当たりの販売台数はもっと大きく減少しているわけだ。つまり、トヨタ自動車は四割のシェアを維持しているとか、マーケットリーダーだといわれているが、少なくとも販売効率という点においては、劣等生であることがわかる。

ところが本田技研工業（以下、ホンダ）は、販売拠点数は増やしておらず、長期トレンドで見るとどちらかというと減少する傾向にある。それに対して販売台数は増加しているので、販売効率という意味ではホンダは優等生といえる。世間ではシェアだけを見て、トヨタはシェアを増やし、ホンダは落としたというが、販売効率を見るとホンダのほうが優等生なのだ。

日産自動車は、販売拠点数は増やしていないが、販売台数も減少しているので、販売効率はトヨタほど悪くないが、ホンダに比べると劣る。

これらのことは時系列で見るからわかることだ。長いスパンでものを見ることで、たとえば販売拠点を増やすと販売台数が増えるという自動車業界の常識は正しくないということが検証された。

③分布による分析

さまざまな事象に関し、そこに何らかの相関関係があるのかないのか、あるいは特異点や異常点があるのかないのかを分析するときに使うのが分布の手法だ。分布の手法で分析する場合、散布図を使うことが多い。

事例　家電製品の収益性を小売店別に見る

ある家電メーカーのコンサルティングをしたときの例であるが、ある製品の利益率をさらに上げるためには、大手小売店向けの販売価格を上げることが必須だ、という話があった。なぜならば、小売店との力関係で、中小小売店には販売価格などこちらの意向を通しやすく、十分高価格で販売できるために、儲けることができる。それに対して、ヤマダ電機やビックカメラに代表される大手量販店向けビジネスは、相手が力をもっているために販売価格も安値を強いられる。さらに販売員の派遣やチラシなどの制作、あるいは特別仕様の製品の開発・製造などを要求されるために、営業利益は大幅な赤字にならざるを得ない。この理屈にしたがえば、もし横軸に売上規模をとり、縦軸に利益率をとれば、売上高が増えるにつれて利益率が低下するという右肩下がりのグラフ、すなわち負の相関関係が現れるはずである。

それに対して、われわれの立てた仮説は、中小小売店向けのビジネスにこそ改善余地があるのではないかというものであった。

この仮説を証明するために、全取引先を対象に利益率を計算してみた。まずは各小売店別の製品販売価格を求める。次に、各小売店に営業マンが費やしている時間を金額換算し、各小売店ごとの売上げで割ると、売上げに占める営業費用がはっきりする。さらに、販売促進費、たとえば陳列に要する販促材料費、売上高に応じたマージン、派遣店員のコストなどを金額に換算して、これも実質コストに加える。そうした実質営業コストを、製造原価並びに本社間接費に加えて、販売価格から引いたものが実質営業利益になる。

そして、これらの数字を図に表したものが図表4―4だ。いわゆる散布図である。ひとつひとつの点が小売店を表す。

この散布図によって、実は売上規模と利益率の間にはほとんど相関関係がないことが明らかになった。これは、中小小売店では販売価格が各営業マンの判断に任されており、少しでも売上げを増やそうとする営業マンが割引をしがちなことが、大きな原因のひとつであることが判明した。そのため、小売店の規模に関係なく、割引の大きい店とそうでない

◆ 図表4－4　家電製品の小売別収益性

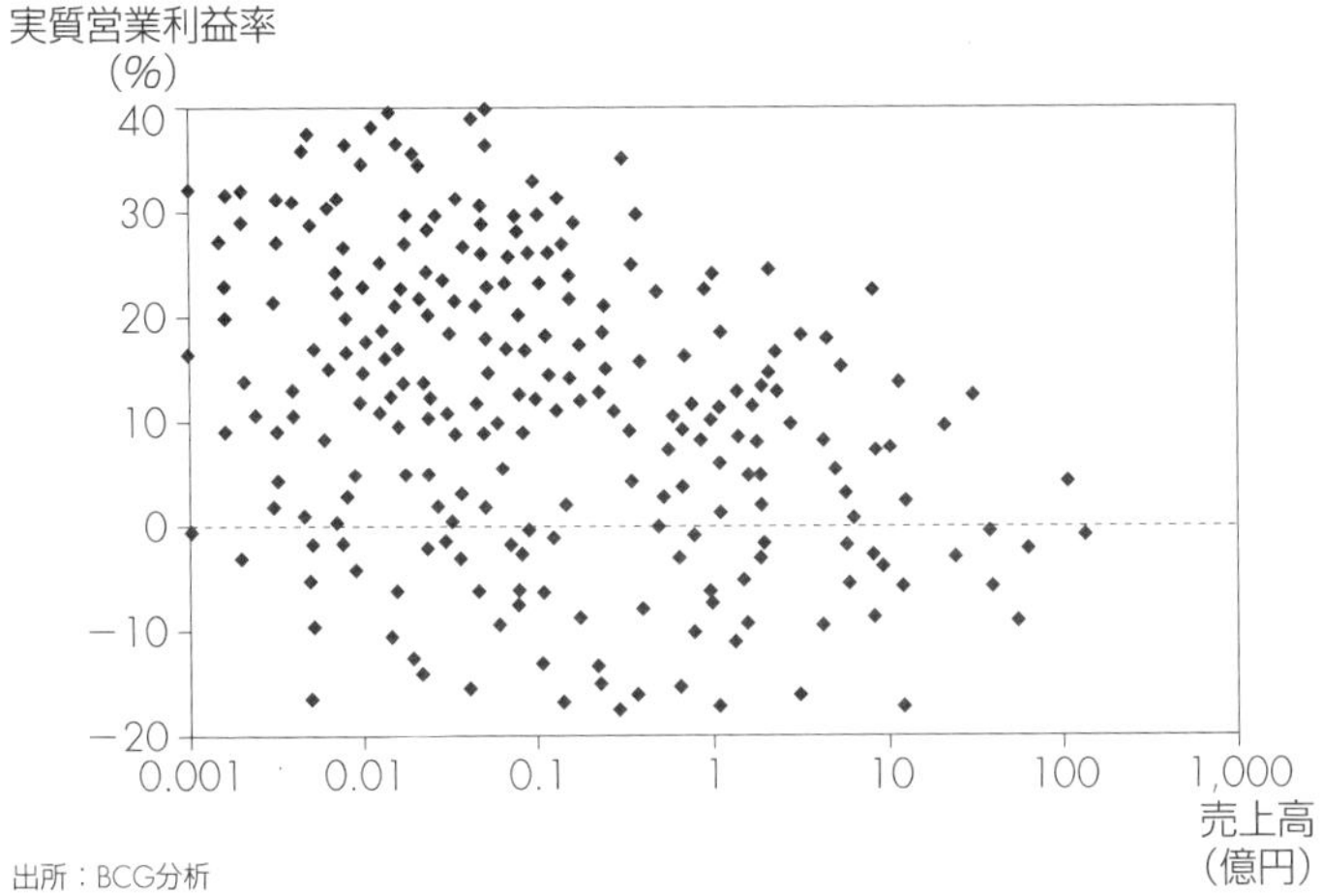

出所：BCG分析

店が存在していた。さらに、営業マンが行きやすい小売店ほど頻繁に訪問するために、結果として売上当たりの営業コストが増大していた。一方で、大型店はたしかに仕入れ価格を値切られるが、売上げが大きいために、売上当たりの営業マンコストはさほどかかっていないこともわかった。

　こうした分析の結果、そのメーカーでは中堅以下の小売店と大型店に対してそれぞれ次のような施策をとることにした。中堅以下の小売店に対しては、価格政策を全社でコントロールすることで、実質赤字の店をなくす。大型店においては、売上げの多寡よりも自社にとって利益率の高い小売店に対する営業強化を行なうことで、採算性の向上を図る。結果として、このメーカーは利益率を大幅に向上させることができた。

④　因数分解による分析

問題を要素に分解し、本当の原因にたどり着くための分析手法が因数分解だ。問題をどんどん分解していき、最後のポイント、最も重大な原因はどこにあるのかを探す。

ここでは、加工食品メーカーD社のマーケットシェアが低迷している理由を解明するために行なった因数分解の例を紹介したい。

事例　加工食品メーカーのマーケットシェア低迷の理由を分解

まず各メーカーの売上げを決定する要因を図表4―5のように因数分解してみた。実際にD社と主要競合E社を比較してみると、以下のようなことがわかった。

まずD社の売上げは、D社の製品を扱っている店の総数に、一店舗当たりのD社売上げをかけたものになる。さらに、右側のD社製品扱い店数は、小売店の規模別に、大型店、中型食品スーパー、町の小売店やコンビニエンスストアに代表される小型店の数に分解することができる。また同じように、北海道から始まって九州まで地域別の店数に分けるこ

◆ 図表 4−5　加工食品メーカー D 社の売上げを因数分解

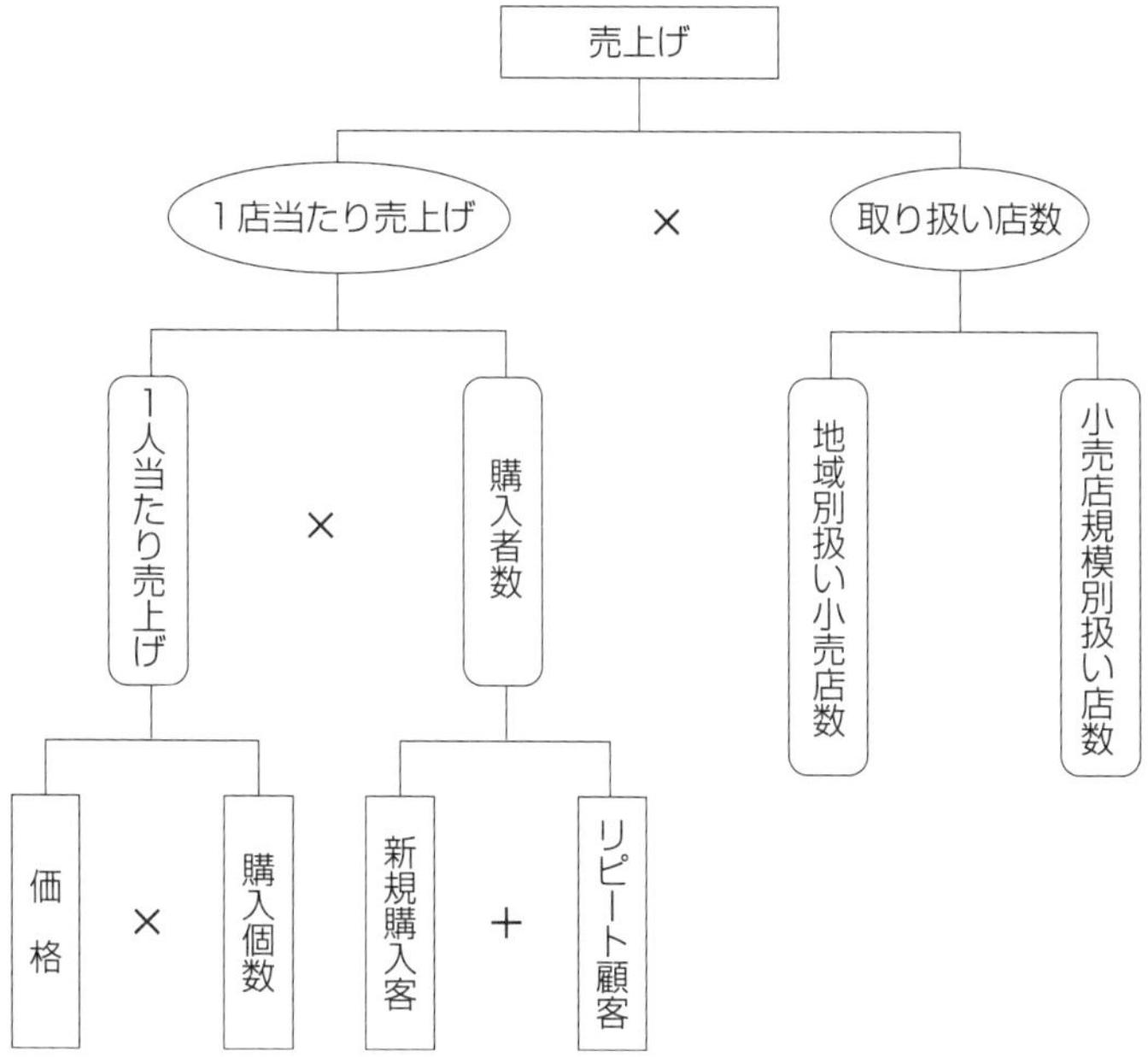

ともできる。一方で、左側の一店当たり売上げは、D社製品購入者数×一人当たり売上げに因数分解できる。さらに、D社製品購入者をリピート顧客と新規購入顧客に分けてみることが可能である。もう片方の一人当たり売上げは、一人当たりの購入個数と価格に分解できる。

そして同様な因数分解を競合E社でも行なってみる。

実際に分析する前の仮説としては、D社の製品は決して品質や味がE社に劣っているわけではないので、いったん

◆ **図表4−6　ブランド別購入経験率とリピート率**

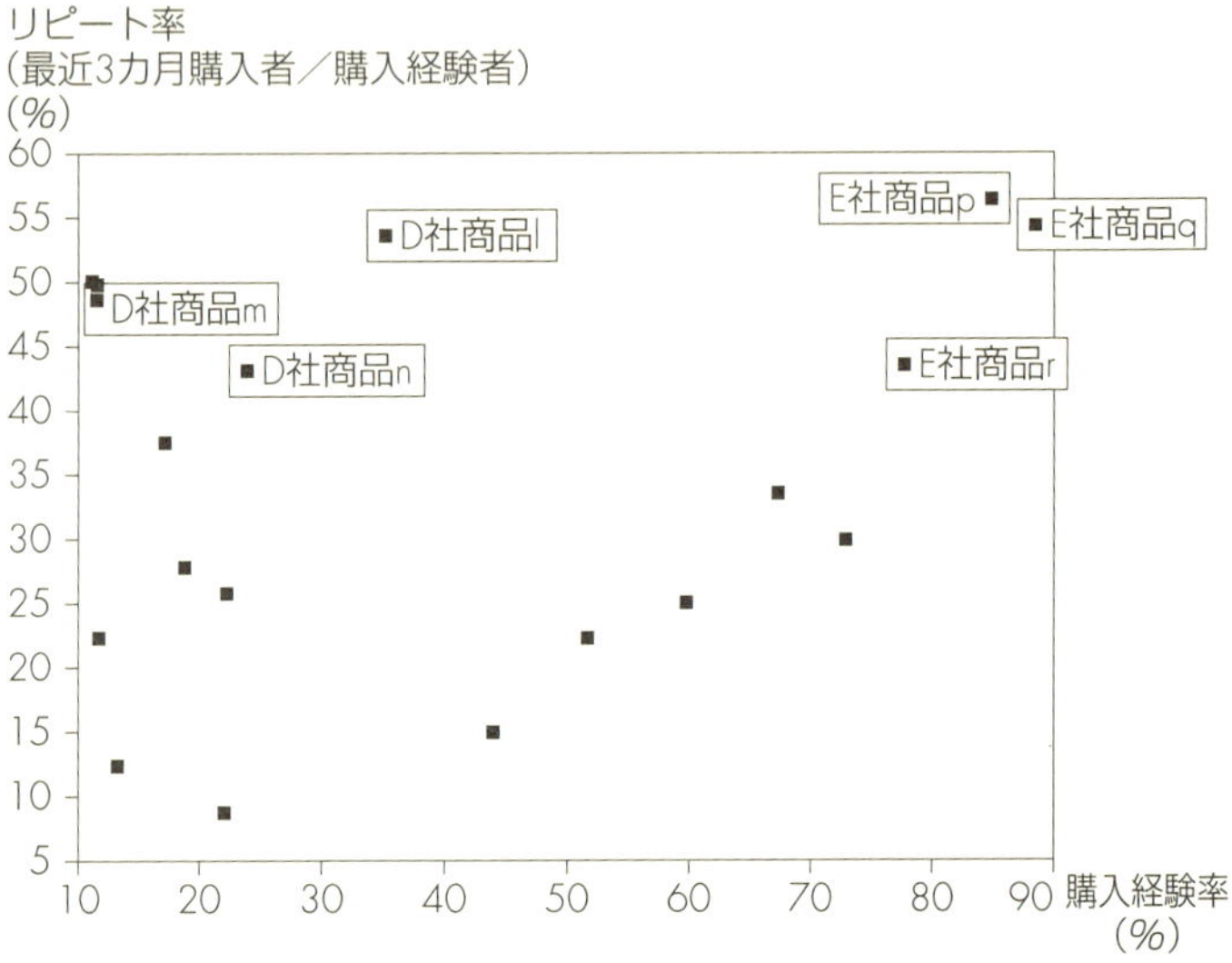

リピート率は同等だが、購入経験率の差が大きい。

購入さえしてもらえれば、必ずリピート購買につながると考えた。したがってD社の製品はそもそも扱ってもらっている店の数が少ないか、あるいは、実際に購入している顧客のうちの初回購入者が少ない点に問題があるのではないかと想定していた。

そこで、実際にこれらの因数分解のそれぞれの数字を見てみると、たとえば扱い店数については、多少競合E社に負けるところはあるが、おおむね同数で負けていないことがわかった。一方、購入客のプロファイルを、いくつかの店で実際に調べてみると、すべての店で総購入客数がE社に負けており、特にリピート顧客数が絶対的に不足していることが判明した。一見仮説が否定されたようであるが、実はリピート顧客数の不足は、初回購入者数の絶対数が少ないために、なかなかリピート顧客総数が増えないことが最も大きな要因であることがわかった。要するに、一回買ってもらえばD社のファンになってもらえる可能性があるのに、一回も買ってくれていない顧客が多いということが判明したのである。これは図表4―6に示されるように、D社はE社に対してリピート率では同等に戦っているが、購入経験率で負けていることからも明らかである。

そこでD社は、シェアを増やすために、店頭でとにかく一度D社製品を味わってもらうための試食イベントの実施、商品を無償で提供するサンプリングなどを積極的に行なうことになった。

このような分析のパターンを知っていると、仮説を検証するときにたいへん役に立つ。

第5章 仮説思考力を高める

The BCG Way——The Art of Hypothesis-driven Management

1 よい仮説は経験に裏打ちされた直感から生まれる

直感、勘を磨く？

これまでは、ひとつのプロジェクトにおいて、仮説を構築し、検証し、進化させるという話をしてきたが、本章では、能力としての仮説思考力を高めていくにはどうしたらよいかという話をしたい。

仮説思考力が高まっていくと、最初から相当筋のよい仮説を立てることができる。検証した結果誤っていたので振りだしに戻って仮説を立て直すということがほとんどなくなる。少なくとも筋のよい仮説を立てる確率は上がる。

言葉を換えれば、最初から進化した仮説を立てられるともいえる。それは無意識のうちに脳内で仮説検証を素早く行なってしまっていることを意味する。仮説を思いついた瞬間に、ああでもない、こうでもないとさまざまな視点から検証し、わずかな時間のうちに仮説を進化させてしまうのだ。コンサルタントの場合も、経験を積んだコンサルタントは無意識のうちに脳内で仮説検証作業を行なうので、最初に構築した仮説がかなり進化した仮説になっている。つまり、仮説の構築、検証、進化が渾然一体となって行なわれるわけだ。脳内で無意識のうちに仮説検証を行なうようなレベルになるには、かなりの経験が必要だ。

では、どうしたらそのような仮説思考力の高い人になれるのだろうか。

石油採掘の専門家と素人が石油採掘をしたとする。地上にいながら地下の油田を見ることはできない。そういう点では二人の条件は同じといえる。しかしながら、実際に採掘してみると、専門家のほうがはるかに高い確率で油田にたどり着くだろう。これは経験の差としかいいようがない。専門家は何百本、何千本と石油採掘を行なっている。「ここを掘ろう」という専門家の決断は、素人目には、「なぜそこなのか」と疑問に思うこともあるが、掘ってみると油田に出会うのである。

それは刑事コロンボや古畑任三郎の犯人の見極め方にある種似ている。フィクションであることは承知の上で語るが、刑事コロンボや古畑任三郎は、仮説思考によって「犯人らしい人物」を最初に特定し、それから詳細な捜査をスタートさせる。仮説志向型の捜査である。他の登場人物から見れば、なぜその人物をマークしているのかまったくわからない。

一般的には直感が優れている、勘が優れているというような言葉で片づけられる。しかし、それでは不十分だ。これは経験に裏づけられた直感や勘なのである。

ビジネスにおける課題解決も石油採掘のようなものだ。簡単に答えを見いだせない解決困難な課題がほとんどなのである。そのため最初から答えを導きだすなど、予言者でもないかぎり不可能だろう。だからこそ仮説が必要なのだ。

なぜ問題の答えが直感的にわかるかといえば、それは仮説と検証の経験によるものだ。よい仮説は、経験に裏打ちされた直感から生まれる。仮説を立てるには経験を積むことが大切だ。少ない情報でよい仮説を立てられるようになるには、経験を重ねるしかない。どんどん仮説を立て、間違っていたら別の仮説を立てる。間違った仮説を立ててしまった場合には、次からは違う要素も加えて仮説を立てることを試みて、仮説を進化させていく。よければその仮説をさらに進化させる。これを繰り返しトレーニングすることだ。

トレーニング1　So What？を常に考える

実は仮説思考をトレーニングする方法はある。そのひとつは日ごろからSo What？（日本語にすれば、「だから何？」となる）と考え続けることだ。すなわち、身の回りにある現象が起きたときに、それが意味するところは何かと考え続けることだ。

具体的にいうと、たとえばアップルコンピュータの携帯型ミュージックプレーヤーｉＰｏｄが非常に流行していると聞いたときに、So What ? と考える。つまりｉＰｏｄが流行すると、どういう影響があるのかと考える。

ｉＰｏｄの流行はさまざまな分野に影響を与えるだろう。

たとえば、ｉＰｏｄがはやるとそれまで携帯型ミュージックプレーヤー市場を牽引していたウォークマンの市場シェアが減少し、ソニーの業績が悪化することも考えられる。すると、ソニーの株主は株を売ったほうがいいかもしれないし、ソニーの経営に携わっている人は戦略を変更する必要があるかもしれない。

アップルコンピュータの業績が回復すると、株価も上昇することが予想され、アップルコンピュータの株を購入するというアクションにつながる。ＩＴ業界、パソコン業界の勢力地図にも影響があるだろう。ソニーの株価が下がるのは一時的現象で、実はマイクロソフトの株価のほうが長期的には大きな影響を受けるのではないだろうか。そうなるとマイクロソフトが新たな施策を打つ可能性がある。

あるいは音楽がダウンロードできたり、常に携帯できたりする状況になれば、音楽業界やＣＤ・レコード業界が大きく変わる可能性も高くなる。もしかすると、若者の消費が携帯電話や飲食から音楽に戻ってくる可能性もある。そうなるとNTTドコモの株が下がるだろう。NTTドコモが先手を打って、携帯電話とiPodの融合（一体化）が進めば、NTTドコモの株は上がるだろう。

このようにiPodの流行という現象から導きだされるSo What？は何通りもあるのだ。周囲で起きている事象についてSo What？と考えるクセをつけると、仮説思考力は磨かれていく。

トレーニング2 なぜを繰り返す

二つ目が、「なぜ」を繰り返すことだ。BCGではこの考え方が徹底していて、なぜを最低五回は繰り返す。これを日常的に行なうことによって、仮説思考力も磨かれていく。

たとえば、「なぜプロ野球はやらないのか」と思ったとしよう。それについて「なぜ」を繰り返しながら、原因と打ち手を考える。たとえば、次のような具合だ。

〈一段目〉「なぜ、プロ野球ははやらないのか」

↓「プロ野球がつまらないから」

〈二段目〉「なぜ、プロ野球はつまらないのか」

↓「スターがいないから」（※こちらを深掘り）
↓「ファンを楽しませる努力を球団がしていないから」

〈三段目〉「なぜスターがいないのか」
↓「スターはメジャーリーグに流失してしまうから」
↓「若い有望な選手がプロ野球に入ってこないから」（※こちらを深掘り）

〈四段目〉「なぜ、若い有望な選手がプロ野球に入ってこないのか」
↓「プロ野球の給料が低いから」（事実でないことはすぐわかる＝検証できる）
↓「サッカーなど魅力的なスポーツに若者が向かっているから」（※こちらを深掘り）

〈五段目〉「なぜ、サッカーが若者を引きつけるのか」
↓「Jリーグが魅力的だから」
↓「中田英寿や中村俊輔がヨーロッパで活躍しているから」
↓「ワールドカップがあるから」
↓「世界中のチームに移籍できる可能性が高いから」
↓「地元のクラブチームが若いうちから選手を育成しているから」

このように五回のなぜを繰り返すと打ち手も見えてくる。この中でプロ野球でもまねをして実行できそうなのは、たとえば五段目の仮説のクラブチームによるサッカーの地元密着戦略である。中高生のうちから傘下のクラブチームで選手を育成し、多くの有望な若者が将来のスター選手を目指している。そこで、プロ野球の人気を高めるには、「もっと地元密着のスポーツに転身すべき」という仮説が考えられる。あるいは、サッカーのほうが世界に活躍の場が多いということに対しては、日本のプロ野球とアメリカのメジャーリーグを一緒にしたような混成リーグや、セパ交流戦のようなシーズン途中での日米プロ野球相互乗り入れなどを行なうことも可能かもしれない。要するに、日本に閉じたスポーツから世界に開かれたリーグ戦へ変身させるのである。

ちなみに、トヨタ自動車でも「なぜを五回繰り返す」という言葉が、カイゼンの基本ポリシーになっている。トヨタ生産方式の生みの親といわれる大野耐一は、「なぜと五回問え。そうすれば原因ではなく真因が見えてくる」といいながら現場をまわり、トヨタ生産方式を定着させた。

2 日常生活の中で訓練を繰り返す

日々の出来事から将来を予測

日常起きていることや感じていることをベースに将来どうなるかという仮説を立ててみるという方法も、仮説思考力を高めるよいトレーニングになる。

たとえば、「高齢化社会が到来すると、どのようなビジネスがはやるか」と考えてみよう。日本は諸外国に例を見ない速さで人口の高齢化が進んでおり、二一世紀の半ばには国民の三人にひとりが六五歳以上という超高齢社会の到来が予測されている。そのときに、どのようなビジネスがはやるかという仮説を立ててみてほしい。

「高齢化社会が到来するとどうなるか」という問いに対して、「お金をもったまま使わない高齢者が増える」という仮説を立てたとしよう。そうなるとさらに、「遺産ビジネスが大流行する」という仮説が立てられるだろう。

また、「高齢者がお金を使うようになる」という仮説を立てたとしよう。そうするとさらに、「高齢者向けショップがはやる」、「孫と高齢者をセットにした商品・サービスがはやる」という仮説が立てられるだろう。

さらに「アクティブな高齢者が増える」という仮説を立てたとすると、「スポーツ産業・旅行業・趣味などがはやる」という仮説が立てられる。

このように身近な現象をベースに、将来どうなるかという仮説を立てるトレーニングをするとよいだろう。以下に具体的な場面に応じたトレーニング法を紹介したい。

新聞記事から考える

新聞記事で報じられている事象から、なぜそうなったかという仮説＝原因仮説を考え、それを検証してみるというトレーニング法だ。

たとえば新聞に、「○○工業の決算が史上最高益を更新した」と出ていたとしよう。これに対しては、以下のような仮説が立てられる。

〔仮説1〕業界全体が好調

↓他社の利益はどうか？

〔仮説2〕日本経済全体の回復・好景気
↓日本企業全体の経常利益はどうか？
〔仮説3〕売上げが伸びた↓なぜ伸びたのか？
↓新製品の伸び？　既存製品の伸び？　新規事業の伸び？
〔仮説4〕コストが減った
↓原価率の推移を見る↓調達コストの削減に成功？　製品数を減らした？　在庫の削減？　人件費の圧縮？
〔仮説5〕新製品がヒットした
↓実際にヒットした商品の売上げインパクトを見る
↓意外に小さいことが多い。新製品の利益率は？
〔仮説6〕リストラに成功
↓具体的にやったことを調べる↓人員削減？　事業撤退・売却？　資産の売却？
〔仮説7〕リーダーシップ
↓それ以前とどう変わったのか？　それによってどんな業績インパクトがあったのか？
実際にやってみる際には、原因仮説を立てる段階では、新聞に書いてある以上の情報はあえて使わない。まず仮説を立て、その後で『会社四季報』やインターネットなどで情報を集めて、仮説を検証する。

テレビの話題から

テレビを見ながら気になったことについて仮説を立てる。ここでは、韓流ドラマがはやった理由の仮説を考えてみる。

〈韓国側の理由を考える〉

〔仮説1〕韓国俳優が日本女性の心をつかんだ（流行）
〔仮説2〕純愛というテーマが日本人女性にフィットした
〔仮説3〕韓国のテレビドラマのつくり方が日本とは違う（テンポがゆるい、家族がよく出てくる、など）
〔仮説4〕韓国そのものの魅力に日本人が気づき始めた

〈日本側の理由を考える〉

〔仮説1〕日本のテレビドラマがワンパターンで飽きられ始めている

〔仮説2〕日本に中高年女性向けの良質のテレビドラマがなかった
〔仮説3〕日本の時代背景：日本のような下り坂の国のドラマより、韓国や中国のような勢いのある国のドラマが受ける

〈So What？を考えてみる〉

- 韓国ドラマに視聴率を取られた日本のテレビ局が衰退する↓考えにくいシナリオ。いくら韓流ドラマがはやったとしても、全体の中ではごく一部の時間帯にすぎない。また日本人全セグメントに受け入れられているわけではない。
- 今後韓国以外にも台湾、香港、中国、シンガポール、タイなどアジア各国のドラマ・タレントが日本でもブームを呼ぶ↓自分にビジネスチャンスはあるのか？
- 日本のテレビドラマのつくり方、はやるタレントが大きく変わる↓どんなドラマ、誰がはやりそうか当たりをつける。二〜三年後には検証できる。

職場の話題から

職場での話題を使ってトレーニングする。たとえば、気に入らない上司に当たったときにどう処すべきかを、相反する意見を出して同僚とディベートする。たとえば、「我慢し

て仕えるのが得策」という意見と、「衝突覚悟で自分のスタイルを押し通すほうが、キャリア形成の上ではプラスになる」という意見が出たとする。

もし前者の仮説を追求するならば、以下のような論を展開できる。

- その上司が仕事ができるなら、たとえいやな上司でも仕事を学ぶことができ、自分の肥やしになる。
- いつかはどちらかが転勤するから、一、二年我慢すれば次の上司に巡り会う。

逆に、後者の意見であれば、以下のような論を展開できる。

- 我慢しても得るものは少ない。それより自分の考え方を貫くほうが、精神衛生上もよいし、場合によっては骨のあるヤツと他の上司から認めてもらえるかもしれない。
- 上司が転勤したとしても、次の上司が自分と馬が合う上司である保証はない。それなら、上司の好き嫌いに関係なく、自分の仕事のスタイルを確立することに時間を使ったほうが将来のためになる。どうしても合わなければ、自分のほうから転勤願を出せばよい。

こんな感じで議論を始めてみる。もちろん、嫌いな上司にたてついて、人事考課でバッをつけられるリスクもあれば、他へ飛ばされてしまう可能性もある。そうした中で、何と何がトレードオフの関係になっていて、どのオプションを取ると何を得て、何を失うのかといった議論は、企業がいままでと違う戦略を取る場合に起きる議論と本質的に同じである。

家庭の話題から

たとえば、近所ではやっているレストランと、はやっていないレストランの違いは何かを議論してみる。

最初に検討すべき点は「味」と「価格」になるだろう。しかし、それ以外にも立地、メニュー、建物・インテリア、サービスなども大きな要素となる。また、近所に競争相手がいるかどうかも考慮すべきだ。そうした点を十分議論して自分なりの仮説を立ててみる。

もちろん、こうした個別要素のひとつが圧倒的に優れているために勝敗がついている場合もある。しかし、実際には、個別の要素の良し悪しよりも、ターゲットセグメントと提供しているサービスがマッチしているかどうか、さらに近所に同じ顧客セグメントを対象としている強力な競争相手がいるかどうかのほうが重要な場合が多い。果たして、あなたの近所のレストランはどのケースであろうか。

その仮説を家族や近所の知り合いに話してみるのも、よいトレーニングになる。そして、結論が出たら、次に自分がそのレストランのオーナーだとしたら、何を変え、何を変えないのかというアクションプランを立て、提案につなげてみる。

ちなみに私は自分がある店で買い物をするときに、その場で自分なりの仮説を立て、店員に聞いてみる（検証する）、ということをよくやる。

たとえば、「最近あちら側にショッピングセンターができたので客が減ったのではないですか」などと聞いてみる。すると、「ショッピングセンターができたおかげで、このエリアに来る人が増えてうちもよい影響を受けているんですよ」といった自分の仮説とは逆の反応を得ることもある。それによって、エリア同士の競争、たとえば渋谷と新宿の間の競争のほうが、個別の店の競争より客足に影響がある場合もあるということを学ぶことができる。

友人との話題から

たとえば、共通の趣味であるゴルフを題材にトレーニングする。最初に、「ゴルフがうまいかどうかとドライバーの飛距離には相関関係がある」という仮説を立てたとする。これをどうすれば検証できるかを考える。そこで、友人のドライバーの平均飛距離と平均スコアまたはハンディキャップをグラフにして相関を見る。仮に両者に相関関係がなかったとすれば、一体何と関係があるのか、新たな仮説をつくる。

そして、進化した仮説として、ドライバーの方向性、アプローチ、パットなどが候補に挙がる。仮に、そのうちのどれかが正解だとした場合、そこから導きだされるあなたにとってのアクションプラン（打ち手）は何だろうか。もし自分がゴルフをしない場合は一般論の提言でもよい。

信じていない仮説の正しさを証明する

自分の信じていない仮説を補強したり、その正しさを証明する。

たとえば、あなたが経営破綻したスーパーのダイエーについて、真の理由は経営者の問題でもなく、店舗運営の稚拙《ちせつ》さでもなく、総合スーパーという業態が役割を終えたのが一番重要な要因と信じているとしよう。その他のイトーヨーカ堂もイオンも、総合スーパー部門は同様に低迷し、低収益に悩んでいることからも、これが本当の理由だと考えている。そのような考えをもっているあなたが、あえてダイエー経営破綻の理由は、総合スーパーの店舗運営に問題があったためという仮説の立証を試みるのである。たとえば次のように思いつくかぎり挙げてみる。

●店舗の改装や売り場構成の変更を、他のスーパーに比べ、あまり行なっていないのではないか
●店員教育がおろそかで、顧客が店頭で不満を抱く機会が多いのではないか
●POSなどを活用した「売れ筋」、「死に筋」管理をきちんと行なっていないために、売上げの機会損失や売れ残りの在庫ロスなどが頻繁に起きているのではないか
●店舗が全国に散らばっているため、配送コストが高くついたり、広告面で集中によるスケールメリットが発揮できず、大きなロスが起きているのではないか

思いつくかぎり挙げた後に、逆に本来の自分であればどう反論するかを考える。

どんなトレーニング法でもトレーニングの基本は、仮説の幅を拡げ、検証し、So What？で深く掘り下げることだ。これでアクションにつながる仮説づくりに挑戦してほしい。

自分の仕事にダイレクトに関係しないテーマであれば、さまざまな仮説を立てたとしても、実際の業務に適用されることはない。適用しないかぎりは、間違っても一切の損失は発生しない。これは大きなメリットだ。ただでいくらでもトレーニングできて、きわめて安上がりである。

3 実際の仕事の中で訓練する

相手のメガネをかけてものを見る

相手のメガネをかけてものを見る、すなわち相手の立場で考えることが、いままでと違う発想や、より建設的な提案につながる仮説を生むことになる。

たとえば生産部門にいると、つい営業部門を批判しがちになる。営業の売上見込みの立て方がいい加減なために生産計画に支障をきたす、平気で返品してくる、在庫がどれだけあってもまったく気にしない、……といった具合だ。そして、営業が生産の悩みを理解して変身しないかぎり、生産部門の効率化は無理といった結論になりがちだ。

こうした考え方は間違ってはいないが、これでは進歩はない。それよりも相手の立場になって仮説をつくる。これが自分の仮説の幅を拡げる練習になる。

この場合、自分が営業部門にいたとしたらと考える。営業が余分に注文する理由は、顧客の急ぎの注文に生産部門が柔軟に対応できないためであり、在庫が多くても気にしないわけではないかもしれない。だとすれば、生産計画に柔軟性をもたせ、緊急注文に応えられるようにすれば、余分な注文はなくなる可能性がある。

また、これまでの生産方式では人気商品ほど欠品になることが多かったので、営業では多めの注文を行なうのが常態化しているのではないか。それを防ぐには注文が確定している商品のみの生産方式に切り替えるか、あるいは人気商品に限っては割り当て式にするなどの対処ができるのではないだろうか。

また、現在の生産計画は一カ月以上前に確定するため、実際のリードタイムは二カ月程度かかってしまう。結果的に営業の販売予測はかなり前もって行なうことになるので、精度が上がらないのかもしれない。だとすれば、生産計画の大枠はいままで同様に一カ月以上前に決めるものの、詳細な生産計画は生産にかかる前日に決定することにすれば、営業の販売予測の精度は大きく上がり、結果として売れ残りや在庫の問題は解消するかもしれない。

このように相手の立場で考えると、いままでは考えられなかった仮説を構築できる。

上司の意思決定をシミュレーションする

もし自分が上司なら、問題解決に際し、どのような意思決定をするか。これをいつも頭に置き、シミュレーションしてみる。自分ならどんな仮説を立てて、どう判断するか考えてみるという方法だ。

たとえば、競争相手の新製品がよく売れ、自社の売上げが下がったときに、上司（我が社）は値下げをして、売上げを増やそうとしたとしよう。そのとき、「自分ならどうしたか」と考えてみる。当該商品の営業マンを増やす、訪問回数を増やす、販促費を増やす、広告出稿量を増やす、その製品はあきらめて将来の売上確保のために新製品開発に力を入れる、何もしない。選択肢は多いが、そのうちのどれを選択するか、その理由は何かと常に考える。この方法をとると、実際の上司の選択に対して、ビジネスの結果が出る。すなわち、少なくとも上司の意思決定の検証はできることになる。つまり、仮説を実験した場合と同じになる。さらに少し想像力を働かせれば、自分の仮説どおりに意思決定をした場合はどんな結果になったかも、かなりの確率で検証できるので、仮説思考のトレーニングとしてだけでなく、将来リーダーになるためのトレーニングもできるのだ。

4 失敗をおそれるな——知的タフネスを高める

創造的であればあるほど失敗はつきもの

仮説を立てることは決して単純な話ではなく、よい経験、バラエティに富んだ経験を積むことが非常に大切だ。ビジネス経験が浅いうちはどんどん仮説を立ててみて、もしも間違っていたら別の仮説を立て、もしよさそうであればその仮説をさらに進化させることを繰り返し練習することだ。なぜベテランコンサルタントが筋のよい仮説を思いつくかというと、似たようなことを新人コンサルタントの何百倍も考えているからだろう。しかし、ただ経験を積みさえすればよいのかといえば、そうではない。仮説を自分で立てて、成功したり失敗したりしていかなくてはならない。特に失敗は重要な意味をもつ。若いうちはどんどん失敗したほうがいい。

二〇〇五年のプロ野球日本一になった千葉ロッテマリーンズの監督であるボビー・バレンタインは、著書『バレンタインの勝ち語録』（主婦と生活社）の中で、「平凡から抜けだすには、失敗してみるしかない」と語っている。「自分が何かの分野で成長するためには、それまでと違ったことに挑戦したり、さらに上の段階を目指して努力するときには失敗がつきもの」だと。

仮説も立て始めたばかりのときは、誤った仮説を立てることが多いだろう。だからといって、仮説を立てることをやめてしまったら、仮説思考力をアップさせることはできない。失敗することによって、次は、よりよい仮説が立てられるようになるのだ。

バレンタインはこうも述べている。「勝ち星は逃しても、教訓は手に入れろ」。これは、負けたときほど学ぶチャンスが多いのだから、それを見逃してはいけないという意味だ。

仮説の場合もそうだ。よい仮説が立てられなかったときこそ、なぜうまくいかなかったのかと考えるチャンスがある。失敗は成功のもというくらいだから、創造的な仮説を立てれば立てるほど失敗はつきものなのだ。

知的に打たれ強くなる

少ない情報から答えを見出す仮説構築という技が、初めからうまくいくわけはない。失敗というとマイナスのイメージでとらえ、「避けたい」と思いがちだが、意識してみると失敗から学ぶことはとても多いのだ。うまくいく方法ばかりでは、既存の手法のまねや過去に起きた同様のケースへの対応はできても、新たな経営課題に直面したらお手上げになってしまうだろう。

だから、大いに失敗してほしい。失敗をおそれず仮説を構築し、検証し、進化させる。これを何度も繰り返す。

こうして仮説の精度が高まってくると、問題解決のスピードは格段に速くなる。経営課題に直面した瞬間に、その答えがすっと頭に思い浮かぶようになる。それは、羽生善治が八〇手のうち二、三手をひらめくのと同じである。しかし、ヒラメキの裏には数限りない経験があることを忘れてはならない。羽生が将棋を覚えたのは小学校一年生のときだといわれる。それ以来、とりつかれたようにのめりこんでいった。小学校六年生で奨励会に入会し、そのころは道を歩いていても頭の中に将棋盤を思い浮かべ、四六時中将棋のことを考えていた。三年間で四段（プロ棋士）になり、以来、二十数年間、来る日も来る日も将棋盤に向かってきた。数限りない仮説検証こそが、一瞬にして妙手が浮かぶヒラメキの源泉となっているのである。

すべては経験なのだ。現場での経験を積み重ねることで、短時間で質の高い仕事ができるようになるための仮説思考力をぜひとも身につけてほしい。

自分が勘が悪いとあきらめる必要はない。いくら確率が悪くても繰り返し仮説構築・検証を行なう根気と学習能力があれば、仮説思考力は必ず高まる。ＢＣＧには「知的タフネス」という言葉がある。知的に打たれ強いという意味だ。いくらＩＱ（知能指数）が高くても、人にいろいろいわれると耐えきれなくて、ポロッと折れてしまう人がいる。それに比べると、ＩＱが多少低くても、何度でも何度でも挑戦して、そこから学び取れる人間のほうが成功している。何百人というコンサルタントを見てきた私がいうのだから間違いない。

終章

本書のまとめ

The BCG Way——The Art of Hypothesis-driven Management

この本で述べてきた仮説思考の要諦を最後にまとめておこう。

仮説の効用——仕事が速くなる、質が上がる

ひとつめのポイントは、仮説の効用である。

まず個人レベルの話から始めると、間違いなくいえることは仕事をこなすスピードが速くなることである。これは何も作業が速くなるという意味ではない。経営上の課題で何が本質かを見つけだしたり、整理するのが早くなる。すでに述べてきたように、あらかじめ答えを見つけてから検証するわけだから、その答えが大幅に間違っていないかぎり、闇雲に調べたり、証明するのとはスピードにおいて格段の差がつく。逆にいえば、仕事において目標となる期日は大体決まっていることが多いわけだから、そこから逆算していついつまでには課題を発見し、その証明をいつまでに行ない、そして解決策をつくるための日数はこれくらい、と読めるはずである。そのスケジュールに基づいて仕事をしようとすれば、仮説思考が最も効率のよいことは、すでにわかっていただけたと思う。

仮説思考の効用の二番目は、仕事の質が高くなることである。もし仕事イコール作業であるならば、実はスピードを上げるということは手抜きにつながりかねないので、必ずし

も仕事の質には直結しない。ところが、仕事には作業以外に、意思決定をするという大事な要素がある。意思決定の質を高めるという意味で、仮説思考はきわめて重要な役割を果たす。ひとつにはあらかじめ仮説を立てて、それを検証するというプロセスを繰り返すことで、仮説の精度が上がり、間違いが少なくなるという利点がある。要するに、意思決定の質が上がるということだ。もうひとつの利点として挙げられるのは、常に限られた時間の中で答えを出すことで、情報が不足している段階で問題の真因を探り、解決策を模索していく力がつくということである。将棋でいえば、「早見えする」とでもいうのであろうか。同じ現象・課題に直面しても、人より早く、正確に答えにたどり着くのである。

また仮説思考の特徴として、部分の積み上げで物事を証明していくスタイルではなく、まず全体像から入って、必要な部分のみ細部にこだわる、あるいは証明を行なうという取り組み方がある。こういう取り組み方を続けていけば、物事の全体をつかむ力が確実に向上する。

これらを併せもつことで、リーダーに欠かせない先を読む力、すなわち先見性と、少ない情報で意思決定する判断力、すなわち決断力が身につく。

一方、仮説思考は、組織にとっても大事な役割を果たす。

仮説・検証を組織全体で共有化できれば、個人の学習に比べて効果ははるかに大きい。すなわち、企業の組織能力を飛躍的に高めることができる。学習できる、すなわち成長できる組織になるには、仮説・検証の繰り返し、すなわち仮説・検証で得た学びを組織で共有化することだ。

重要なのは、仮説思考の重要性を、組織の共通認識とすることだろう。そうすることによって、仮説で議論できるカルチャーが企業内に生まれ、やがて根づいていくだろう。問題に直面したときにも、情報を収集分析して意思決定するのではなく、まずは仮説を立て、走りながら検証し、解決策を模索する組織に生まれ変わるのである。

昔のように六カ月じっくり戦略を立て、その後、検証し、翌年の四月から実行しようなどという悠長なことはいっていられない。企業に意思決定のスピードが強く求められているなら、仮説思考型は時代の要請でもある。この転換に成功した組織だけが、激変する経営環境に素早く対応し、成功し続けることができるのである。

気持ち悪くても結論から考える

二番目のポイントは、仮説思考は慣れないうちは気持ち悪さを伴うが、その気持ち悪さを乗り越えないと、いつまでも仮説思考が身につかないということである。たとえていえば、牡蠣や納豆といった見てくれの悪い食べ物に似ている。食べてみるまではとてもこんなものは食えないと思っても、食べてしまうとこんなにうまいものがあったのかという感覚に近い。

とにかく、大して情報がないうちから結論を出すのだから、気持ち悪くて当然だ。もしそう感じないのなら、よほどの天才か鈍感に違いない。

どうしても私のいうことが信じられないというのなら、いままでどおりに仕事をしながら仮説思考を部分的に取り入れていけばよい。たとえば、いままでと同じようにたくさんの情報を集めたり、分析してから結論を出すやり方でよい。ただし、その仕事の初期、すなわち情報を集めだす前に一回、さらに少しだけ情報を集めた段階でもう一回、その時点で考えつくベストの答えをメモにしておく。これだけでよい。もちろん、少ない情報で答えを出すのだから、簡単ではない。あれこれ足りない情報を頭の中で補わなければならない。場合によっては直感に頼らざるを得ないかもしれない。そうしておいて、仕事をやり終えた段階で、十分な情報をもとにした結論なり意思決定と、自分が途中で出した結論とを比較してほしい。そんなに違っていないことに驚くあなたがいるに違いない。もちろん間違っていることも多いだろう。数をこなせばよい。

仮説思考のよい点は、他人の脳みそを刺激するところにもある。まだ証拠不十分でものを述べるわけだから、一緒に仕事をしている人間でさえ、「えっ」と思うかもしれないし、あるいは、「どうしてそんなことをいえるのか」と反発する人もいるかもしれない。もちろん中には「なるほどね」と感心する人もいるだろう。こうした、反発、共感、賛成、驚きにより新たな創造が生まれるのである。

結論から考えるやり方には、自分の心の気持ち悪さだけでなく、他人から反論されたり批判されたりする気持ち悪さがある。そのために、どうしても完璧に調べてから結論を出そうと思ってしまいがちだ。しかし、この網羅思考は死への道でもあることは、すでに述べたとおりだ。どうせ批判されるのなら、早くしてもらったほうが軌道修正しやすい。仕事が終わってからやり直しを命じられるのはきつい。それなら、批判覚悟、あるいは建設的なコメントをもらえることを期待して、最初から答えを出す仮説思考でいこう。分析なんてものは仮説を証明するためにする、くらいの割り切りをもってほしい。

失敗から学ぶ——間違ってもやり直せばよい

最初から仮説思考が完璧にできる人はいない。将棋の羽生善治しかりである。極端にいえば「下手な鉄砲も数打てば当たる」で十分だ。最初は一〇のうちひとつでも当たれば十分。もちろんひとつも合ってなくてもしようがない。何しろ初めての試みなのだから。

コツはとにかく少ない情報で考えることだ。くどいようだが、情報は多ければ多いほどよい意思決定ができると信じているうちは、仮説思考は身につかない。少ない情報で、情報をたくさん集めた人と同じ質の推論なり課題発見なりができる人が、結局は勝つ。なぜならば、他人が情報を集めている段階で、より深掘りした課題に進める、あるいは課題の解決策構築にとりかかれるからである。

もちろん最初ははずれることのほうが多いだろう。それでかまわない。仮に間違っていたとしてもやり直せばよい。もしかしたら、網羅的にやっておけば速かったのにと思うことがあるかもしれない。それでよいのだ。なぜかといえば、網羅思考を繰り返しても作業が速くなるだけで、答えにたどり着くスピードが格段に速くなるわけではない。ところが、仮説思考を繰り返していれば、答えにたどり着くスピードとその答えの質が格段に上がっていくのである。

また、仮に会社の重要な仕事で仮説思考でミスをしたらどうしようと思うかもしれない。そんなに心配なら、まずは仕事に関係ないことで訓練すればよい。前述した場面別訓練法である。これならいくら失敗してもただだ。

前述したサッカーの元日本代表監督のオフトは、その著書の中でこんなこともいっている。先見力とは、道で牛の行列に出会ったときに、「牛の顔を見て、しっぽの形を当てる」ことだ。普通、牛の顔を見ても、しっぽの形はわからない。もちろん通り過ぎた牛のしっぽの形は誰にでもわかる。だが、リーダーは、牛の顔を見てしっぽの形を判断できるようにならなくてはいけない。そのために牛の顔を注意深く観察し、しっぽの形を予測する。最初のうちは、予測は外れるだろう。しかし、何頭かの牛を見ていくうちに、牛の顔としっぽの関係性が何となくわかり、顔を見ただけでしっぽがわかるようになる。これはまさに仮説と検証である。

もちろんそんなことが可能かどうかを問題にしているわけではなく、それくらい不可能に思えることでも訓練と努力次第で解けるようになる、あるいは、そうすることが先見性を磨く唯一の方法だといっているのだと、解釈すべきだ。

先見力というと、特定の人だけが先天的に身につけている能力のように思われがちだが、実は仮説と検証を繰り返すことによって身につけていくものなのだ。

身近な同僚・上司・家族・友人を練習台にする

仮説思考がいくらパワフルといっても、いきなりお客様で試すのは勇気がいるし、場合によっては信頼関係を損ねてしまうかもしれない。そこで私がお勧めするのは、身近な相手を練習台にして始めることだ。ボクシングでいきなり試合をするのではなく、手頃な練習相手を見つけてスパーリングから始めるようなものである。

身近な相手とは、たとえば職場の同僚であり、上司であり、仕事以外の友人の場合もあれば家族の場合もある。こうした同僚、家族が相手の場合は、簡単に仮説を進化させることができる上に、失敗しても傷が小さくてすむ。要するに、仮説の構築時、検証時、あるいは仮説を発展させるときに、身近な相手をディスカッションパートナーにしようということである。

たとえば自分の担当する仕事で、どうもこれが問題の本質ではないかということを思いついたとしよう。もちろん自分でデータを集めたりしてそれを証明することも大事なことだが、まず同僚に聞いてもらうのが一番手っ取り早い。「おもしろいね」といってもらえることもあれば、それは以前調べたけれど違っていたよといわれることもあるだろう。もちろんそれで引き下がるようではいけないけれど、参考にするべきではある。それはおもしろい、さらにこんなこともいえるのではないかといってもらえたらもうけものだ。自分と同じ職場の人間であれば、自分が抱えている問題を共有しているか、少なくともそばで見ているので、彼らの反応はかなり役に立つはずである。

私が駆けだしのコンサルタント時代には、何人もの先輩に大変お世話になったが、その中でも特に島田隆さんというマネジャー（当時）に仮説思考をたたき込まれた。私がどんなしようもないアイデアを思いついても、どうしてそう思うのか、逆にこんな考え方はできないのか、あるいはそれを証明するにはどんな分析が必要と考えるか、などとよく教えてもらった。また、たくさんの分析をして、こんなことがわかったともっていくと、分析する前に自分が証明したいことは何なのかをはっきりさせることが大事だと、アドバイスしてもらうことも多かった。

時々、自分の考えが生煮えのまま相手にぶつけては、相手の時間の無駄になり申し訳ないという人がいるが、それも間違いである。本人がかなり時間を使ってから、組織として間違いに気づくよりは、初期の段階でみんなで協力して間違いを修正していったほうが、組織としても効率がよい。また、同じ組織の仲間であれば、自分も相手の仮説の検証を手伝ったり、議論の相手をしてあげることもあるはずで、相身互いである。

最後に友人や家族。彼らはビジネス上の損得はないので、最も気軽に相談できる。もちろんあまりしつこいと嫌われてしまうかもしれないが、大いに活用させてもらうべきだ。

枝葉ではなく幹が描ける人間になろう

仮説思考が個別の課題解決だけでなく、問題の全体像や大きなストーリー（幹）をつくる上で役に立つことはすでに述べたとおりである。BCGの社内では「仮説は何か」というのと同じくらい、「ストーリーライン」という言葉が多く飛び交っている。

企業が抱える問題を解決する上で、全体像が重要であることはいうまでもないが、同時に個別の課題を正しく認識し、それらに対する解決策を考えることも重要である。いくら全体的な方向性が正しくても、具体的な解決策が伴っていなければ、問題は解決しない。それではどちらを先に考えるべきであろうか。もちろん、本書をここまで読み進めてきた読者の方には簡単であろう。全体像から入るべきである。

仕事の全体構成を見直すというところで述べたとおりだが、少ない情報で全体像をつかむことができると、仕事の効率が格段に上がる。まず、何をやるべきかがはっきりする。証明すべき事柄や、やるべき分析が明確になる。また仕事を何人かで分担している場合にも、全体像がわかっている上に、自分が担当する仕事がどの部分で、何を目的としているかが明確になる。

気持ちとして、個別の解決策を積み上げて完璧な答えをつくりたくなりがちだが、現実の企業でそんなやり方をしていたら、いつまでたっても答えができないか、あるいは答えができる前に経営環境が変わってしまう。そこで、常に全体像を先に考えてから、個別課題の解決を図るようにしたい。といっても、一社員がいつも全社経営課題を考えるというのも無理があるだろうから、まずは自分のレベルよりひとつ上のレベルの課題をきちんと理解することを勧める。もし自分の担当が在庫問題だとすれば、それに関連する生産・調達・営業まで視野に入れた全体像をつくり上げてから、在庫の問題に触れるべきである。

仕事が与えられるとすぐ作業を始めてしまうクセのある人は、三〇分でもよいから全体像を考えてみる。そうすることによって、自分がやろうとしているそれぞれの作業の位置づけがわかり、場合によっては順番を変えたり、一部の作業が不要になることも多いはずだ。たとえば、自分がある商品の販売促進、すなわちプロモーションプランを任されたときに、いきなり広告のアイデアやどんな販売促進手段を使うかを考えるのではなく、まず自社製品の主たるターゲットは誰で、彼らに到達するためにはどんな流通経路をとったらよいのか、あるいは、そのターゲットユーザーに訴求するにはどんなプロモーションがよいのかを、仮説として考えてみよう。その結果、そのユーザーセグメントにアプローチするには、広告などのマス・プロモーションは使わずに、口コミなどを期待したマーケティングを展開し、チャネルも少数の限定的ルートのみで扱ったほうが大きな効果が得られるというようなストーリーが、仮説としてつくれるかもしれない。そうなるとテレビ広告や新聞広告は不要ということになり、広告のアイデアを考える作業は不要になる。その一方で、どのチャネルで販売すべきかという課題の重要性が浮かび上がり、販売促進策を考える前にチャネル開拓の仮説が必要になるかもしれない。

もちろん少ない情報でストーリーをつくっていくのは、気持ち悪さもあれば、度胸も必要になる。しかし人の上に立つためには、ぜひともマスターしてほしいことである。私が好きな言葉に、「マネジャーは足元を見つめ、リーダーは地平線を見つめる」(The manager has his eye always on the bottom line; the leader has his eye on the horison. ウォーレン・ベニスの言葉)がある。リーダーである以上、足元の業績に一喜一憂するのではなく、メンバーを川の向こう岸まで運んでいく責任がある。そのためにも、先行きどうなるかの見通しをもち、それを自信をもって推し進める勇気が必要になる。そのための訓練になるのが、ストーリーをつくっていくことである。

最後に、みなさんにはぜひ、要領がよくて、かつ答えにたどり着くのが早いビジネスパーソンを目指してほしい。ビジネスで大事なことは、どれだけたくさん働いたかではないが、どれだけ正確に調べて分析したかでもない。どれだけよい答えを短期間に出して、それを速やかに実行に移せるかである。常に時間とのプレッシャーの中で答えを出すという状況におかれ続けることで、より少ない情報でたしかな答えを出していく度胸がつくことは間違いない。そのために仮説思考が役に立つことを願っている。

あとがき

経営コンサルタントとしての経験から、ビジネスパーソンとしての成功のカギをひとつ教えてくださいという問いに、長い間、それは「学習能力」だと答えてきた。しかし、改めて何の学習能力かと問われれば、最近は「優れた仮説の構築とその検証能力」であると確信をもっていえる。

日本人は、あらかじめ問題がはっきりしているときにそれを解くのは得意である一方、自ら問題をつくる能力、あるいは問題を発見する能力はとても低い。このことが日本のビジネスパーソンの弱みとなっている。この現状を何とかしたいと思ったのが、本書執筆のひとつの動機である。

どこまで目的を果たせたかはわからないが、何らかの一石は投じることができたのではないかと自負している。

この本は実に多くの方の協力によってできあがった。東洋経済新報社の黒坂浩一さんと、水の研究家でも知られる橋本淳司さんには、企画から文章の推敲の段階にわたって大変お世話になった。また、私が講義を行なっている青山学院大学の国際マネジメント研究科

（ＭＢＡコース）の学生諸君と早稲田大学大学院商学研究科プロフェッショナルコース（同じくＭＢＡ）の学生諸君には初期の段階の原稿を読んでもらって、ずいぶんと建設的な意見をいただいた。改めて謝意を表したい。ボストンコンサルティンググループ（ＢＣＧ）のエディターの満喜とも子さんと秘書の阿部亜衣子さんの協力なくして本書の完成はなかった。感謝の気持ちを表したい。また、ひとりひとりの名は記さないが、ＢＣＧのパートナーたち、コンサルタントたちには、日頃から私の突拍子もない仮説につきあってもらって感謝している。この本を刊行することができたのも、こうしたことの積み重ねの結果である。

私が二〇年以上も経営コンサルタントを続けていられるのも、刺激に満ちた仲間、厳しいお客様、挑戦的なテーマがあってこそであり、次から次に生じる難問の数々を解いているうちにあっという間に過ぎてしまったというのが本音である。

不真面目と怒られるかもしれないが、皆さんにも自分が味わってきたのと同じような、クイズを解くような感覚で経営課題に取り組んでいただければ、仕事の質が上がるだけでなく、仕事の効率化も図られ、一石二鳥ではないかと思う。

読者の皆様の問題発見能力と解決能力向上の助けになることを祈念して、筆を置くこととする。

参考文献

内田和成『デコンストラクション経営革命』日本能率協会マネジメントセンター、一九九八年

内田和成『eエコノミーの企業戦略』PHP研究所、二〇〇〇年

オフト、ハンス『日本サッカーの挑戦』（徳増浩司訳）講談社、一九九三年

ギーツィー、ティーハ・フォン、ボルコ・フォン・アーティンガー、クリストファー・バスフォード編著『クラウゼヴィッツの戦略思考――『戦争論』に学ぶリーダーシップと決断の本質』（ボストンコンサルティンググループ訳）ダイヤモンド社、二〇〇二年

鈴木敏文『商売の原点』（緒方知行編）講談社、二〇〇三年

羽生善治『決断力』角川書店、二〇〇五年

バレンタイン、ボビー『バレンタインの勝ち語録　自分の殻を破るメッセージ80』主婦と生活社、二〇〇五年

ボストンコンサルティンググループ著『ケイパビリティ・マネジメント』（堀紘一監修）プレジデント社、一九九四年

ユナイテッド・テクノロジーズ・コーポレーション『アメリカの心――全米を動かした75のメッセージ』（岡田芳郎、楓セビル、田中洋訳）学生社、一九八七年

著者紹介

早稲田大学名誉教授．東京大学工学部卒．慶應義塾大学経営学修士（MBA）．日本航空株式会社を経て，1985年ボストン コンサルティング グループ（BCG）入社．2000年6月から2004年12月までBCG日本代表，2009年12月までシニア・アドバイザーを務める．ハイテク，情報通信サービス，自動車業界を中心に，マーケティング戦略，新規事業戦略，中長期戦略，グローバル戦略などの策定・実行支援プロジェクトを数多く経験．2006年には「世界で最も有力なコンサルタントのトップ25人」（米コンサルティング・マガジン）に選出された．2006年から2022年3月まで早稲田大学大学院経営管理研究科（ビジネススクール）教授．競争戦略論やリーダーシップ論を教えるほか，エグゼクティブ・プログラムでの講義や企業のリーダーシップ・トレーニングも行なう．
著書に『論点思考』『右脳思考』『右脳思考を鍛える』『イノベーションの競争戦略』（以上、東洋経済新報社），『ゲーム・チェンジャーの競争戦略』（編著）『異業種競争戦略』『リーダーの戦い方』（以上、日本経済新聞出版社），『ビジネススクール意思決定入門』（日経BP）などがある．

YouTube「内田和成チャンネル」
https://www.youtube.com/@kazuchida/streams
Facebookページ
https://www.facebook.com/kazuchidaofficial
X（Twitter）
@kazuchida

仮説思考

2006年3月31日　第1刷発行
2025年2月19日　第34刷発行

著　者　内田和成《うちだかずなり》
発行者　山田徹也
発行所　〒103-8345
東京都中央区日本橋本石町1-2-1　東洋経済新報社
電話　東洋経済コールセンター03(6386)1040
印刷・製本　港北メディアサービス

Printed in Japan　ISBN 978-4-492-55555-2　https://toyokeizai.net/